Para M.

Con cariño, y que la historia de este libro te distraiga y te de una visión de las bellezas y las tragedias de mi país y sus protagonistas.

Abril, 13th 2021

Graziano's Doral.

Luis Guerrero.

VE A COMPRAR CIGARRILLOS Y DESAPARECE

Karl Krispin (Caracas, 1960) Escritor venezolano. Letras (Universidad Católica Andrés Bello, UCAB). Master of Arts (Tulane University). Candidato a Doctor en Historia (UCAB). Ha publicado las novelas *La advertencia del ciudadano Norton* (Alfa, 2010), *Con la urbe al cuello* (Alfaguara 2005, 2006. Sudaquia 2012), *Viernes a eso de las nueve* (Fuentes Editores,1992); los estudios *La revolución Libertadora* (Banco de Venezuela,1990), *Golpe de Estado Venezuela 1945-1948*, (Panapo,1994), los ensayos *Bush en Playa Parguito* (Pila 21, 2018) *Lecturas y deslecturas* (Unimet, 2009), *Camino de humores* (Fundarte,1998); los minicuentos *200 breves* (Oscar Todtmann Editores, 2015) *Ciento breve* (Fundación para la Cultura Urbana, 2004). Es profesor de Historia de la Universidad Metropolitana. Colaborador habitual de @zendalibros y @prodavinci. Ha sido presidente de la Asociación Cultural Humboldt en Venezuela. Es Miembro del Club de Roma y presidente del Capítulo Venezolano del Club de Roma. Su cuenta Twitter es @kkrispin y en Instagram @karlkrispin.

Karl Krispin

VE A COMPRAR CIGARRILLOS Y DESAPARECE

De la presente edición, 2020

Editorial Hypermedia
www.editorialhypermedia.com
www.hypermediamagazine.com
hypermedia@editorialhypermedia.com

Maquetación y corrección: Editorial Hypermedia
Diseño de colección y portada: Herman Vega Vogeler

ISBN: 978-1-948517-59-1

Todos somos casos excepcionales.
Todos queremos reclamar algo.
Albert Camus. *La caída*

I.
VE A COMPRAR CIGARRILLOS Y DESAPARECE

Estoy seguro de que mi decisión se alteró un domingo de diciembre, cuando bajaba de la montaña. Hacerlo habría sido una insensatez. Si me alejaba convocaría lo inoportuno. Cuando las líneas se alteran se produce un cortocircuito y se te incendia la vida. Puedes circunvalar el camino y volvértelo a topar más adelante. Tomas esos peligrosos atajos, casi te despeñas en el intento y te incorporas a la vía de nuevo, tembloroso, pero te incorporas. Al padre de Jaime le había sucedido: siempre quiso ser embajador en España para el Quinto Centenario. Era un tipo exitoso, culto, un encantador de salón con corbatas Hermes y zapatos Crocket & Jones numerados. Las camisas se las confeccionaba un italiano, iluminado con los puños y la batista. Nunca equivocó en qué lugar debía ir el monograma: a unos cinco centímetros bajo el corazón. Jamás en los puños, una costumbre de nuevos ricos para mostrar que la camisa ha sido realizada a la medida. El padre de Jaime había sido ministro, era de los pocos que lo mismo entraba y salía del Country Club que de la Casa del Partido Popular, de cuando ser funcionario se consideraba elegante, prestigioso, de servicio al país. Nunca como en estos tiempos. Hoy estamos rodeados de rábulas y estafadores. En aquellos años el candidato que ganó las elecciones lo tenía entre sus colaboradores y sabía que el doctor Echenagucia quería la embajada en Madrid. El día llegó como llega todo, pero, por vez única, irrepetible. Nunca se celebra lo mismo dos veces dirán los heráclitos de nuestro tiempo. —Doctor, es la secretaria del ministro de Relaciones Exteriores que lo espera en Miraflores, con el presidente.

Fue al despacho, estrenando traje, pañuelo y zapatos de hebilla, y en el momento en que le propusieron aquello que tanto había deseado, lo rechazó. Prefería colaborar con el Gobierno desde aquí.

Cuando se despidió ponía a un lado la aspiración de toda su vida. «Que así el hombre no traicione lo que de niño prometió,» escribió Hölderlin y repitió Sábato. A los seis meses de su visita a la Presidencia, a Echenagucia se le fundió el corazón desayunando.

Del director Krzysztof Kieślowski, el de *Blanco, Rojo y Azul* y *La doble vida de Verónica* un día notificaron los diarios que no haría más cine. La nota escueta no hablaba de enfermedad alguna. No transcurrió ni un año para que la misma agencia de noticias confirmara su fallecimiento.

Por eso le temo a Hécate que confunde a los viajeros en las encrucijadas. Por eso sé que algún lugar oculta *el Jardín de los senderos que se bifurcan*. Según tomemos decisiones, serán de una índole o de otra, muchas veces, diferente. Al optar por una, queda la duda de si hicimos lo correcto. Los hindúes se han pasado centurias abundando sobre los ciclos. Lo peor es aferrarnos a ellos, porque no sabemos cómo continuar. En innumerables ocasiones te visita el dilema, una noche de copas, un deslizamiento por pasadizos desconocidos, una mujer que te invita a seguirla, a permanecer con ella, se desatan impagables preludios a lo desconocido. Pero nos descontentamos, nos quejamos con lo que tenemos, repetimos aquella vieja anécdota del que salió de su casa con una vida ya hecha a comprar cigarrillos y no regresó jamás. Y sólo años más tarde alguien diría haberlo reconocido en la fila de un aeropuerto del exterior, raudo, veloz, sin identificación. Hay quienes huyen de su realidad sin entender que no es lícito huir de nosotros. Y existe la tentación de reproducirnos en otra vida, alejados de quienes hemos tratado siempre, haciéndole una supuesta trampa a lo que alguna vez edificamos. Quién no piensa que comenzar de nuevo es derrotar el ciclo, que re—empezar es resucitarse y hacerse inmortal, vencer a la muerte, aunque por una brevedad. Por eso amé aquella película de Benjamin Button sobre un cuento de Fitzgerald, el individuo que decide recorrer mundo, subirse a los barcos y amanecer en un puerto desconocido cada día sin que su nombre se conozca o su apellido se mencione. Fabricarse el azar es sucumbir en él.

El sábado había tomado la determinación de que haría como el de los cigarrillos. El viernes había acordado con el abogado: tenía poder para algunos arreglos. El mismo día despaché mi carta de renuncia. Daba clases en una universidad para zánganos consentidos y por primera vez estaba orgulloso de poder dejarla y hacer lo que me diera la gana. Mi plan no era definitivo: solo quería darle un sustico a María Silvia, dejar que pasara una semana sin que supiera de mí y telefonearla luego desde una cabina de Londres o de París, venirle con que había tenido mi crisis de la mitad de la vida, que estaba a punto de entrar en una tienda y que necesitaba la relación de sus tallas para los vestidos y zapatos que le compraría. Había preparado una maleta sin que se diera cuenta y dejaría una nota junto al teléfono de la cocina, diciéndole que desaparecería por una semana (¿por una semana?) y que el viernes siguiente esperara mi llamada a las 5:00 p.m., la hora en que nos conocimos también un diciembre, hacía diez años. Durante una semana (¿en una semana?) andaría a mi aire. Entraría a restaurantes, pediría lo que quisiera, iría a bares que cierran en la madrugada, y lo haría sin dar explicaciones, porque en el fondo de lo que estaba cansado, era de darlas.

Necesitaba nuevos motivos en los que pensar. Quizás, incluso, tenía suerte y daba con el tema de mi próxima novela. Nunca se sabe. Llevaba dos años acusándome de no haber escrito una sola línea. La novela anterior había recibido una acogida tibia en la prensa, y no es que me doliera, pero no conseguía reponerme. Bastaría un viaje en soledad para darle un giro a todo. Compraría el boleto en el propio aeropuerto, traspasaría la aduana y me servirían un escocés doble en mi asiento de primera clase. Todo, al fin y al cabo, lo tenía por delante.

Una semana antes de la subida al Ávila tuve un sueño. Estaba con María Silvia en Boston. Siempre me ha encantado esa ciudad. Una vez la recorrí hasta dar con la estatua a caballo del legendario Paul Revere, un héroe de mis lecturas infantiles. El sueño me ubicó en uno de esos envidiables edificios de la Commonwealth

Avenue con jardines irlandeses diseñados para la eternidad. Habíamos tomado el T en la estación de Boylston y de pronto nos reconocimos dentro de un vestíbulo lujosamente decorado, en el que le comunicaba a un impecable botones que iba a alquilar uno de los apartamentos del inmueble listado en el Boston Globe. A todas estas, María Silvia había desaparecido y, a pesar de que la buscaba, no la veía. En ese momento una voz, que no sé de dónde llegaba, comenzaba a decirme que estábamos ante la hora, que debía saberlo. Más allá de que Boston me resultara una ciudad adorable a pesar de su invierno, yo no tenía nada que ver con aquellos yanquis enarcados. ¿Por qué, entonces, domiciliarme entre ellos? Desperté sabiendo a María Silvia en la cocina. Reconocí los sonidos de la casa, el decorado de nuestra habitación, pero en mi cabeza aún permanecía la misma voz onírica del sueño y, a mi pesar, debía seguir sus instrucciones. La tarde de ese mismo día, no pude, sino, verme cultivando flores en mi reciente huerto de Nueva Inglaterra.

María Silvia era la fotógrafa más sensual de la ciudad. Eso me lo repetía para mis adentros y se lo dije el día que nos conocimos, cuando la saqué de un almuerzo y me la llevé a un bar frente a la playa, en el que amanecimos. Entonces me di cuenta de que nos habíamos juntado sin regreso. Nos casamos a los dos años y nos instalamos en una casa que su madre nos había comprado. Pocos días después de la boda, mi madre enfermó fatalmente y mi padre se sumió en un silencio del que no se recuperaría. Nunca quisimos tener hijos, más ella que yo, y la verdad es que nunca me importó. Ella tomaba fotografías, había podido hacerse de un nombre, y su familia le consentía todos los caprichos. Cuando comenzamos a vivir juntos, tuvimos un matrimonio que se entendía. Ella era celosa de su libertad. Yo la celaba y eso la molestaba. A veces no regresaba sino en la noche, después de un día de pauta, y ni se tomaba la molestia de explicarme lo que había estado haciendo. No se lo permitía. A pesar de saber que nunca la haría mía del todo, me contentaba estar a su lado. Pero, con el tiempo, empezamos a vivir una normalidad que me resultó exasperante. Fue entonces cuando comencé a pensar en mi plan.

Ese domingo me levanté temprano, y ni siquiera alimenté a nuestro perro, un beagle mala leche que me ha mordido dos veces la pierna derecha y que se llama Caurimare González. En su lugar, fui hasta el automóvil, miré discretamente la maleta de la escapada y la contemplé con admiración. Me vestí con botas montañeras y pantalones de escalar, tomé el sombrero y me marché a subir al cerro El Ávila, por la vía del cortafuegos. María Silvia dormía, así que no nos despedimos.

Ascendí hasta el hotel Humboldt, lo que exige unas tres horas, y al hacer cumbre, me pregunté si los jesuitas del centro excursionista Loyola habrían subido hasta allí alguna vez en sotana. Bajé con el teleférico y al llegar a la estación de Maripérez tome un taxi hasta La Castellana donde había dejado el automóvil para regresar a mi casa.

Habían transcurrido unas cinco horas desde que salí de mi casa. Al llegar no vi el auto de María Silvia y en el recibo, me encontré con un sobre blanco que tenía escrito mi nombre con su caligrafía de colegio de monjas. Al abrirlo di con sus líneas: «De verdad lo lamento, debo irme por un tiempo. No puedo más. Debo aclararme. Tengo más de un año pensando esto. Pronto te llamaré. Estaré viajando fuera del país. No lo tomes a mal aunque no sé si esto por lo que estoy pasando sea temporal. Lo siento de verdad. María Silvia».

Después de ese domingo, comencé a escribir en letra Bell MT. A las letras hay que tutearlas y de esta no tengo referencias, por lo que no estábamos acostumbrados a tratarnos. De eso me gustaría hablar, de lo nuevo. De por qué todos los días me convenzo de que estoy envejeciendo. A los veinte años te sientes cargando dos Smith & Wesson al cinto que vas a usar con el primer hijoeputa que se cruce en tu camino. A los treinta la pistola está inservible de tanto julepe, la que te ha quedado porque la otra no sabes ni siquiera dónde la dejaste. Así vas en chaflán hasta que llegas a los cuarenta y una vez que entraste a ese territorio lo haces con cuidado de que la pistola que sabes guardada en un sitio seguro no te la hayan robado o quién sabe qué puedan estar haciendo con ella. Tu seguridad de alguna vez haberte creído un Clint Eastwood en medio de un *western* se ha esfumado. Y, además, ya ni cantinas hay.

Voy por la década de los cuarenta. Ya pidiendo paso y poniendo las luces altas. La pistola más nunca supe quién se la había llevado para arreglarla. Dentro de poco voy a no querer hablar sobre el tema. La vida es muy corta diría cualquier filósofo de esquina. De pronto parece que todos hubiésemos quedado atropellados por una gandola que nos dejó a la orilla del camino. La carretera, lo peor, es que ni sabes a dónde va. Claro que lo sabes: termina en la muerte que es donde finaliza todo. Después de que traspases todas las alcabalas, ahí te dejo eso, derechito para allá vas. Es ahora cuando empiezas a pensar en la muerte. Ni siquiera por ti, sino por todas las cuentas que comienzan a sacarte: que si hiciste esto, que si hiciste aquello, que te falta esto, que te sobra aquello. Y todavía hay unos atrevidos, qué testículos tienen, de estarte criticando a estas alturas del campeonato. Todo el mundo sabe que tienes un carácter de perro, pero así eres tú, ya está bueno de que vengan todas esas lectoras de chacras a analizarte con aquello de la inteligencia emocional. Recuerden esa por favor. La tal inteligencia emocional que seguramente inventó uno de estos homosexuales pasivos a quien le han dedicado una calle en Salvador de Bahía o en Río. Porque todos son maricos y brasileños especialmente ese mismito, en el que estás pensando, el de la chivita que se toma las fotos descalzo. Macho que se respete no anda con esa personalidad anal de estarse retratando descalzo. Una vez una despelucada que andaba buscándose a sí misma me obsequió un librejo del impostor aquel. Lo puse en el baño y mandé a hacer un cartel. En caso de que falte el papel higiénico, siéntase cómodo usando las hojas de este libro. Lo que me faltó fue ponerlo en inglés: *Feel comfortable*, suena de avión, de paquete turístico, de Tahití en bermudas, de Florencia en cómodas cuotas, *feel comfortable*. Nunca vi más a la despeinada que además era fan de Barbra Streisand, y de la que uno no puede hablar mal porque después te dicen antisemita. Y no es verdad.

En el borde de ese filo de la navaja por el que te piensas perseguido, estás al tanto del hecho de que no eres viejo pero tampoco joven, te repito: pero tampoco joven. Y empiezas a verla, a soñar con ella. Y ves a tus padres como se fueron. Y descubres cómo ya tienes la geografía del fin desplegada en el rostro. Cuántas veces no te has dicho a ti mismo que todo te lo fabricaste. Que lo urdiste con planimetría inmortal. Tienes años dándole a ese coito onanista. El mundo, y que es la medida de ti mismo, que eres su creador porque como dios que te aburrías en tu perfección condescendiste a encarnar el humanoide que te define. Que eres el responsable, el pagador de la factura, el hacedor de la historia, que has adoptado un modesto rol en el universo. Que todo es de tu propia marca. Tu *Acme* particular del coyote que se cree listo. Que todo cambiará según lo dispongas. En ese libreto pagado de ti, te asumes como la razón eficiente, el arquitecto del universo, el que lo imaginó todo. Que jamás morirás....Ponle puntos suspensivos para que te reconforte tu rochela escapista. *Feel comfortable* en pensar lo que se te antoje. Finalmente desaparecerás aunque para consuelo tuyo —y, óyeme, será el único que tendrás en este vasto, incomprensible e irrefutable universo— no te darás cuenta.

Todo mi plan de huida se relacionaba con un anti regocijo sobrevenido. Y toda la normalidad con María Silvia. Es probable que fuese porque vivo en este país de basura. Y estoy seguro de que todo comenzó por el mismo hecho de nacer aquí. Debe haber sido mi conversación con el hierofante, ese personajillo de escasa confianza que Platón deja colar en *La República*. Sostengo que es de poco fiar el tipejo porque presumo que no seguiría mis instrucciones. De qué modo podría yo haberle pedido que me aventara a este ensayo de república provisional. Acaso alguien en su sano juicio es capaz de decidir venirse por acá a sabiendas de lo que le toca. No sé. El hierofante y yo seguro que tuvimos algún desencuentro, una discusión propia del pasajero y el ejecutivo del mostrador que te despacha a tu nuevo destino. Sería un problema de millas acumuladas, de vidas futuras. Seguro que yo le estaba pidiendo un *upgrade*: nacer en una familia establecida en un piso enorme de la avenue Victor Hugo del *arrondissement* dieciséis o debo haberle solicitado aparecerme en una familia de terratenientes en Andalucía (me parece altamente gozoso, eso de ser terrateniente) o con alguna de esas familias hiperburguesas con toda clase de *gadgets* electrónicos que viven a las afueras de Múnich con Mercedes Benz y Audis desde chiquiticos. Pero no, seguramente discutimos, algún forcejeo verbal se inmiscuiría, yo le dije que no estaba de acuerdo, que me llamara a su supervisor y de una me colocó sin chistar entre esta civilidad disuelta y por ser ejecutada. Venir a nacer yo en la Policlínica Caracas en lugar del Hospital Americano de París. Tamaño despropósito no habría de caber sino en la retorcida mente de un burócrata del más allá, el tal hierofante, granuja de la antigüedad clásica. El que te conduce por la barcaza que borra tus recuerdos y te lanza a la nueva vida. Qué clase de pedanterías le pude haber dicho para que me despachara a estas arenas movedizas, a este *Sábado Sensacional* en el que el único premio es sobrevivir. Bien malaúva tiene que ser el desacreditado hierofante, de pésimas pulgas ha debido estar para que me adjudicara con estos conciudadanos esquizofrénicos y soeces. He debido apremiarlo para nacer en una república espléndida donde los trenes llegaran a la hora, aquí ni siquiera hay trenes: un par de ellos y sólo transportan alienados hacia las ciudades dormitorios. Un Estado del cual ufanaras un pasaporte al que miraran con envidia por este espléndido universo, que se te quedaran viendo como lo hago yo con los que veo en los aeropuertos del mundo con codicia porque apenas ostento el de esta inorganicidad suramericana, el de este salvaje bululú en el que las esquinas huelen a pipí y estás a punto de atropellar a un huelepega en la autopista. Total que convengo en que mi aparición en esta sección desahuciada del planeta, además de justificarla por mi condición de espermatozoide vencedor, la estimo vinculada al descriteriado emisario del más allá si es que concebimos el poder de la reencarnación, en la que tampoco es que me mate creyendo. Sólo que me parece divertida para evitar que se cumpla la saga teológica del Vaticano Inc. y que de veras me aterroriza que sea verdad. Imagínense ustedes terminar en la eternidad rodeado de santurrones, de gente honorable, de doctos, de puras, de beatas, de cándidas, de virtuosas, de sanjosemarías. No, no, no. Eso sí que no.

Llevo la hora retrasada, nunca estoy a tiempo. Mi margen de error está en diez o quince minutos. Me vengo superando últimamente y consigo ser puntual. Pero carece de importancia serlo. ¿De qué vale cumplirle a todos? Esos que se afanan en ser puntuales, llega un momento en que ni los recuerdan. La peor muerte es desaparecer en el recuerdo. Hay muertos que ni viven, porque ya dejaron de ser recordados. Salen a la calle y nadie los ve, pasan desapercibidos. En la batalla de los egos esto representa el Armagedón total, el hundimiento del Titanic o el deshielo de los polos. Es una batalla contra el Tiempo, ese que va en mayúsculas y no ha sufrido derrotas. He conseguido odiarlo como a nada. Está acabando conmigo. Cada día ante el espejo veo como me ha asestado una de sus bofetadas o me ha acuchillado un signo más en mi frente. Por eso inventamos lo de la novedad. Haga algo nuevo todos los días: Vaya por una calle que nunca toma, llene un crucigramas, aprenda un idioma nuevo, tome las vacaciones que siempre anheló, enamórese de nuevo, recicle la basura, adopte un niño africano, funde un club de excursionistas, prepare *crepes suzettes*, regrese a la universidad, haga nuevos amigos, si es zurdo use la derecha, si es derecho use la zurda, juegue un deporte diferente, dedíquese al ajedrez, no deje de leer nunca. Recetas para fingir que Cronos no te vence y mientras te dedicas a sudar la penitencia de la renovación permanente, adviertes cómo te alcanza hasta solicitarte que disminuyas la marcha, porque te terminará dejando atrás.

Igual te dejan atrás, te esperan y te vuelven a dejar atrás. Cada día que pasa es un día en que te superan los muchos otros. En que todo cambia y los nombres se mezclan. Los superpoderosos gerentes de mercadeo, a quienes no me cansaré de odiar, han alterado todo y son los que mandan en el universo. Ya no decimos colonias o perfumes, gritamos la palabra fragancia. Ya no hay caras sino rostros, el pelo dejó de existir: el cabello ha triunfado y los peluqueros, en combinación con los asistentes de mercadeo —nada sin ellos, son la tropa— han afeminado el lenguaje con sus hidrataciones, keratinas, manos y pies y los *reality shows* donde lloran por sus mechones pusilánimes. Un día estaba buscando comprar una tijera. La empleada me dice que para qué. Le digo que es para pelos. Será para cabello, y reafirmó un llllóóó de tipo argentino y sentí la cachetada del DRAE a todo meter. Pero me levanté de las cuerdas y proclamé que la necesitaba para podar pelos púbicos. Un día también soñé que me había convertido en ciudadano argentino piquetero de los que tenían en el Iphone como música de repique, «*Don't cry for me Ar-*

gentina»: me enfermé del tiro en el sueño pero también me curé de inmediato en el sueño y me desperté. Nadie pregunta hoy en día por el baño de hombres: te tomarían por un rústico camionero de estos que atropella perros cada vez que se pone al volante. Se pregunta por el baño de caballeros, la ropa de caballeros, el calzado de caballeros. Al igual que el supremo fetichista término de pintura de labios, el perverso, fascinante y aberrante *rouge* venido a menos, ahora es el lápiz labial por lo que se le otorga un carácter meramente utilitario de operario de la belleza. Nadie se pone el champú: el *shampoo* lo aplican. En el salón de belleza publicitario donde todos parecemos habitar, todo se cuida y se pone al cuidado de los estilistas del lenguaje. Que por cierto, ahora no se habla de peluqueros y, menos, de barberos, sino de esta reciente raza, los estilistas. El amigable dentista de siempre, ahora se ha convertido en el oneroso odontólogo cuyas altas cuentas son repudiadas por igual en el condominio mundial. En esta convención de los usos correctos, que, por cierto, nada es correcto en el habla, sino uso estricto. Para lo correcto, te vienen los deconstruccionistas, estructuralistas, semiólogos de pelo de colita con su té de jazmín servido con sus camisas hawaianas. Qué repugnante y acusador se me ha puesto el mundo.

A menudo me sucede que me harta Caracas y huyo hacia la isla de Margarita. Y por eso me vine para Playa Guacuco. No tengo nadie delante de mí y en eso llega mi vecina a importunarme la vista con sus dos nietas, hablando sin parar. A doña Clovis le clavan su paraguas y las sillas exactamente donde podía ver las olas reventando y sabotea mi visión del mundo, aunque se me haya puesto repugnante.

Por eso es que no soporto a doña Clovis ni sus nietas, que se tratan de maricas todo el tiempo, y que no abandonan el WhatsApp ni para sentarse en la poceta. Doña Clovis lee el *Hola* aquí en la playa, en Margarita, y trata de comunicarse con las niñas que estrenan bikinis nuevos dos veces al día y no le paran a la vieja. Por eso es que doña Clovis me ha estado buscando conversación desde su vecindad, donde las carajitas me pegaron un pelotazo en la cara, que hizo que mi tercer libro de Auster se me llenara de arena, y las chamas me pidieron disculpas riéndose, lo que no vale, y doña Clovis trató de decirles algo pero ellas no le contestaron y se siguieron tratando de maricas. A doña Clovis ni el marido le paraba y con el ACV que había sufrido decidió poner todo para no recuperarse y morirse de una vez. Porque no soportaba a la vieja. Por eso es que la señora viene sola a las Terrazas de Guacuco, porque los hijos siempre están esquiando en invierno y este año las nietas viajaron con ella, porque unos retrasados mentales con camionetota y tracción en las cuatro ruedas y en probatorio de la universidad, que son los novios, se vinieron para acá a descargarse la playa. Doña Clovis ya se ha leído todo el *Hola* y sus anuncios, y saca un libro de autoayuda para viudas y eso es lo que más me molesta, esa clase de librejos que les recomienda a las niñas que una vez más no le prestan atención, porque ahora están cuadrando lo de la noche con otras amigas con las que también se tratan de maricas. Las nenas se meten en el mar, vuelven a jugar paletas, al mediodía llegan los pitecántropos recién levantados con el tufo de alcohol de la madrugada anterior para comerse los sánduches que la empleada de doña Clovis preparó. Van directo a la cava, no saludan a la abuela, se zampan los emparedados, les meten un agarrón a las novias, dicen algo como en aborigen antiguo y las arrebatan para Playa Parguito. Doña Clovis se queda damnificada una vez más en la tercera edad y las nietas no se despiden, sino que van hasta las camionetas tratándose de maricas.

Lo primero que hice fue acercarme hasta acá, porque pasó una semana y María Silvia no se dignó. Me mandó un mensaje donde me aseguraba que estaba bien, pero que no me iba a decir en dónde estaba bien. Podía estar en Islamorada o en Lübeck. En Biarritz o en Isnotú. Ni le respondí. La parte fría de la almohada en este nuevo estatus que no es nada, me ayudaría a tramar lo que tendría que hacer. El rector de la universidad me llamó al conocer de mi renuncia, un enano con doctorado falso y voz de jugador de bádminton. Me dijo que no lo podía permitir. Que las clases estaban por empezar. Y yo caí como un seguidor de los de *Pare de sufrir* y le dije que regresaría: que probaría un semestre más. Que me había apresurado. No le dije lo que pensaba. Que estaba metido en un lío sin resolución y que no tenía la más mínima idea de cómo me desembarazaría del rollo. Que en enero volvía a la ciudad y que estaría de nuevo allí. Y claro estaría de nuevo allí con mucho gusto para rodearme de toda clase de mongoloides que aspiran por un título universitario que no les servirá de mucho en este país en liquidación. Ojalá le hubiese dicho esto. Alguna valentía habría demostrado. Pero ¿cómo haría para responder por el paradero de María Silvia? Entretanto, doña Clovis se había jalado sus tres whiskycitos dieciocho años y ya estaba zarataca. Me vio con el teléfono y cuando finalicé, me hizo la pregunta que yo quería evitar a toda costa. ¿Y María Silvia? Tan bella ella. ¿Está arriba en la piscina? No, señora, no vino. Está viajando. ¿Por fuera?, preguntó la vieja entrépita y pendeja. Tuve ganas de responderle: ¿usted cree que está entre Adícora y El Supí? No sabe este vejestorio que cuando se dice viajando, es en el exterior. Sí, está por fuera y me puse los lentes para seguir mi lectura y sólo ver mi libro, pero subí los ojos y en eso escuché que doña Clovis tuvo un pequeño eructo que disimuló para luego seguir maraqueando el trago, pedirle otro a la empleada y terminar de aniquilarme con su terminante mirada de quien se ha quedado sola, más sola que nadie, con su concentración de jugadora de canastón para brindar por María Silvia, y que le vaya bien en el viaje, pero estaba seguro de que me había sorprendido, porque no supe mentirle adecuadamente, y que a pesar de que se había convertido en un ser a quien nadie le hacía caso, que no daba sino pena, que estaba en el peor de los exilios: que es estar condenada a ella misma, entendió que más pena estaba dando yo en este momento del peor de los desarraigos, en una playa en la que lo que más me valía es que me fuera cuanto antes. Me detuve a invocar el recuerdo de María Silvia. ¿Sería que le debía algo? ¿Sería que el mundo que la rodeaba le debía algo? Y fue entonces cuando pensé en Hammett, cuando invoqué a Auster, cuando lo dejé de veras todo sometido a un acaso al que esta vez estaba resuelto a no importunar, porque una vez que te fabricas tu azar sucumbes a él.

II.
LA MISMA DISTANCIA QUE NOS ALEJA ES LA QUE NOS SEPARA

La misma distancia que nos aleja es la que nos separa. Parece mera tautología, una jugarreta de términos acercados. Pero una cosa es estar alejados que separados. Me encuentro lejos, estoy alejada, pero también estoy separada. He encontrado el momento adecuado para hacerlo y la distancia y la lejanía me han ayudado. ¿Que por qué lo hice? Porque sí, porque lo necesitaba, porque era el acto imperioso para retirarme de la farsa y deshacerme de un libreto de voces repetidas. Comenzaba a encerrarme, yo misma vivía dentro de una escafandra sumergida en un mar fangoso y gris que era la vida en esa ciudad que alguna vez quisimos, que fue un todo portentoso y a la que no pienso volver nunca más en mi vida. Lamento decírtelo: no pisaré Caracas mientras viva y emplearé el tiempo que tenga por delante en desconocer esa equivocación descomunal que fue nuestro país: un sitio impensado, no porque no se pudiera imaginar, sino porque nadie nunca se fijó el cometido de pensarlo, de medirlo, de dudar de él y hacerlo realidad. Una provisionalidad perenne nos impedía razonar. ¿Tenía sentido habitar en el caos retrógrado? ¿Había alguna sensatez de seguir con la estupidez del clima y del Ávila, de la luz de los Palos Grandes o del Alto Hatillo, cuando al día siguiente podías estar con una etiqueta en el pie, horizontalizada, extraviada para siempre en la calzada, con un enjambre de curiosos arrancándote tus últimas pertenencias o tratando de examinar por dónde se te metió la bala mientras el bello, tenue y dulce calor primaveral de la ciudad de Caracas alcanzaba tu rostro cubierto? La ciudad de la eterna primavera pasó a ser la ciudad de la angustia indetenible, con mafias de malvividos buscándote para eliminarte. Bella Caracas, con tu morgue y tus repetidos muertos semanales. La ciudad de los techos rojos es ahora la ciudad de las cifras rojas. Hay una canción de Aldemaro Romero: «Caracas, flor de Trinitaria, doña cuatricentenaria. No me despierten de mi sueño porque estoy soñando que soy caraqueño». Eso era antes, en una ciudad de gente educada, antes de que llegaran los bárbaros y comenzaran a apuntarnos y a honrar el aroma de municiones. Y también me harté de ti, me cansé de tus rutinas, de no decirme nada nuevo, de esperar la refundación de algo ejemplar en ti que por fin me hiciera creerte, y que no tuvieras que ocultarte en esas novelas que escribías y que nadie leía. Me dormí con tu relamido y fatídico optimismo queriendo decir que el país nos necesitaba. Que no nos podíamos ir. ¿Cuánto dura una vida? ¿Qué significa esa estadística llamada expectativa de vida? ¿De cuánto tiempo disponemos? ¿Desde cuándo tenemos la capacidad de agregar tiempo al tiempo? ¿De cuántos minutos estamos hablando para sentenciar esa ridícula frase acomodada de que teníamos que estar aquí, porque no podíamos abandonar el país? ¿Yo acaso tomé la decisión de nacer allá? Pues no, eso indescifrable llamado la providencia me llevó hasta allá. Y además tú te contradecías, porque en privado hablabas horrores de todo lo nacional y en público salías a componer esas gacetillas semipatrióticas y carameladas pensadas casi para la sociedad de padres o representantes de cualquier colegio católico, donde exaltabas el compromiso ético, la *paideia* con la polis. ¿Pero qué polis, hazme el favor, polis en la parada de autobuses de Chacaíto? ¿Polis en Petare, polis con los niños de la calle, los sin techo, los violentos, los delincuentes, los asesinos, polis con nuestro dictadores eternos? ¿Polis con ese río inmundo y bacteriológico que nos atraviesa? Yo no soy la fundadora de un departamento de responsabilidad social para administrar esos números. Vine a esta vida a vivir, no sé si con ejemplaridad, no sé si con fundamento ético, al menos sí comprometida con mi emancipación y para registrar unas imágenes que quiero que sean mías para siempre. No quiero envejecer en una imposibilidad de país, en una ciudad que abandonó a sus hijos. He roto para siempre con la ciudad que llegó. En adelante quiero recordarla por lo que fue, no por lo que es o por lo que será.

En medio de la vorágine, de esta indetenible caída hacia el abismo, eso que risiblemente se llamó la clase media en Venezuela, que algunos tradicionalmente calificaban como «gente decente», los que conjugábamos el pluscuamperfecto con propiedad y al menos sabemos identificar sujeto, verbo, predicado y complementos, hemos sido obligados a una nueva servidumbre.

Los amos del poder son unos tiranos incultos, salvajes y ágrafos y tú me pedías con aquella candidez abusiva propia de un avestruz con la cabeza oculta en un agujero, que no era tiempo de vender la casa, que dónde mandaríamos los libros. Tu apego pequeño, tus lealtades cotidianas a lo superfluo, tus acartonadas tesis de Bossuet, sobreponerse a los esquinazos de la historia, asumir la historia personal más allá del entorno, me llevaron a desenmascarar tu cobardía. No sabes el mal humor que logró desarrollar en mí tu último artículo: «los eventos históricos no son más que un telón de fondo, a veces con momentos estelares, grises u oscuros, pero las instituciones, con la consciencia firme de su misión, deben edificar su propio destino y su historia particular en la certeza de conocer la naturaleza de su propósito. Esto no es otra cosa que hacer cohabitar una historia con otra historia sin que la Historia en mayúsculas pueda hacer añicos a la historia en particular. Esto nos sirve como sujetos, comenzando por nuestros objetivos y fijaciones: la gran Historia es el panorama ante el que actuamos y ante el que tenemos el deber ineludible de sobreponernos». ¡Acaso tú vivías en el foro romano, con una cámara pegada a la historia y una amanuense registrando todas tus frases! No te lo creí, porque lo que te solicitaba era que nos fuéramos cuanto antes, antes de la aniquilación total, y que primero llegaran los cuatro jinetes del Apocalipsis, la destrucción inminente de todo cuanto estuviese en pie. Un juicio final a la medida de un país en decadencia que terminaría por aplastar nuestras pretensiones individuales. Te supliqué, una y otra vez, que pudiésemos reconstruir lo que algunas vez fuimos, tú y yo me refiero, el universo circunscrito como te lo recalcaba, no lo que pudo acuchillar, cambiar, abofetear, matar y herir ese país de cartón piedra al que tú hipócritamente defendías, que no era más que un viejo guijarro perdido entre la playa de tanto no tener ya historia que abjurar. Que sobreviviéramos al menos dentro de nosotros mismos. Te rogué que nos refugiáramos en nuestras certezas, que fuésemos ejemplares para nosotros mismos, que construyéramos una ética bilateral e intransferible, tuya y mía, que nos impusiéramos bossuetianamente y huyéramos, sí, que huyéramos, más allá de los libros, que todos cabían en un Kindle, delante de tus alcabalas y peajes del día a día, más allá de la casa y las obligaciones. Que era tiempo de reventar las rutinas, de alzarnos sobre las ruinas de lo que dejábamos, desertar de esa Sodoma y Gomorra populista sin voltear atrás nunca más. Y sin que nos doliera, porque lo necesario para desprenderse de algo es que no te importe hacerlo.

Todo eso fue adueñándose de mí, se instaló con holgura en mí, me fue cercando hasta que logré alojarlo y lo invité a que con toda comodidad y desahogo tomara el domicilio de quien soy: me visitó el desamor hasta convertirse en indiferencia. Molécula a molécula de lo que eres fue vaciándose dentro de mí. Al principio me negué, luché frente a eso, tenía sentimientos encontrados: el pasado me atrapaba con sus señas de identidad, con su cédula expedida de un contrato indestructible, con una clave que yo sólo manejaba, y era intransferible, mía, indeclinable. A veces, conviene maldecir y segregar los recuerdos porque no nos dejan avanzar. Seguías sobreviviendo gracias a las evocaciones que venían por mí en su desesperada persecución, y que lograban paralizarme, me daban cacería y mostraban lo que soy como una pieza detenida por la taxidermia.

Yo caía vencida, herida, exhausta, adormecida por la diana de la nostalgia y me hacía revivir en la narcolepsia de no pensar sino gratamente regresar a lo que fue. El país empeoraba y mis memorias eran cada vez más reiteradas y numerosas. Pronto se hicieron invivibles, insoportables. Ya habitaba de un todo en el pretérito, con la gratitud de estar revisitando mi vida. Algo parecido a lo que pasa con la muerte, según dicen. Que empiezan a sucederse, uno tras otros, los momentos estelares y no tan estelares de una vida. Estaba recorriendo mi vida entera contigo: el almuerzo donde te conocí, la tarde primera junto al mar, la mañana en que juré seguirte y nunca abandonarte (que de tonterías irresponsables se llegan a prometer dos personas), cuando nos casamos, el atardecer de mil colores en el Masai Mara, nuestros besos en la Villa Borghese, comprando libros en Charing Cross Road, tomándote una foto con el Mississippi por detrás... y, de pronto, di con él. Entre tantas postales y recuerdos de viajera me lo tropecé y me mostró su negra mismidad, su rasgo aniquilador despojado de celebración. Las reminiscencias muestran su cara risueña y su afán en ocultar tras las bambalinas escenográficas, todo mal sabor. Pero nada pudo hacerse: apareció y yo ni siquiera supe cómo lo hizo. En ese festival de amenidades y algodón de azúcar, me lo encontré en un recodo que me devolvió a la realidad. Di con él, me lo volví a topar. Tú fuiste el primero en olvidarlo y hacérmelo olvidar. Un fin de semana me fui a tomar fotos a Los Roques. Insistí en que me acompañaras. Mentiste con que tenías lecturas y lecturas y lecturas. Era irse para Los Roques aunque estuviera que estar trabajando: teníamos un día sólo para nosotros y no importa, me fui sola. Y claro que me enteré porque fuiste tan torpe y poco inteligente, abusivamente cretino, que venir a tener algo con algo que yo creía mi mejor amiga. Pero pudo lo que yo sentía hacia ti y tus mentiras muy convincentes, muy logocéntricas, post—utópicas y posmodernistas de que ella te había tendido una trampa. Pero tú caíste y en aquel momento te perdoné pero ese hecho con el que me volví a encontrar me sirvió para aferrarme a aquella vileza y empezar a borrarte poco a poco. Lo primero que borré fue tu cerebro para que no volvieras a convencerme, tu boca para no escucharte más, tu cuerpo para no tocarte más. Te desdibujé por completo hasta llegar a lo auténticamente miserable y canalla que puede un ser humano ofrecerle a alguien que alguna vez quiso: la indiferencia. Ya me dabas exactamente lo mismo como si jamás nos hubiéramos conocido. Hice una pequeña maleta y me fui. En la escueta carta que recibiste y en la que te mentí y me regocijé por la mentira, queda el último despojo de lo que alguna vez fui para ti.

Está haciendo frío en la estación de Austerlitz pero adoro este congelamiento que no me ata ni me condiciona. Celebro Austerlitz como el Corso lo haría a pesar de mis orígenes alemanes. Amo esta estación porque establece distancias conmigo, porque no me engaña ni me dibuja una realidad acomodada a una ilusión de esperanza. Hace frío y se acabó. Lamento esta vez no tener que mentirte pero no queda nada que pueda suponer que esto no es más que una controversia sobrevenida, que en el esquema: ±esposa cansada se larga porque se hartó + esposo busca esposa cansada que se hartó + esposa cansada que se hartó reflexiona + esposo busca en el lugar de los acontecimientos a esposa cansada que se hartó = ± esposo y esposa resuelven sus controversias y regresan al hogar tomados de la mano. En esta escalada hegeliana se impone el poder de la síntesis hasta plantear un nuevo pugilato entre tesis y antítesis. Y así hasta hartarnos de hipótesis y propuestas. No, fíjate que no. Muérete que no. *Forget it baby.* Es que ya lo que hay aquí son conclusiones. He llegado contigo a la liquidación sin contradicciones. A la más exacta, pulida y simétrica utopía, eso sí, privada, de mí misma. Me instalé en la respuesta definitiva y estelar. De pronto se hizo la luz y no tuve que seguir tendiéndole la cama al pasado. Me ha visitado la epifanía con su idioma cruel, terminante e irreversible. Tienes para demandarme por abandono de hogar. Dale. Apura el divorcio que luego te facilitaré la dirección postal de donde me encuentre para que me mandes la sentencia por DHL. Me estoy divorciando de ti, del país, de todo lo que tenga un tufillo de orquídea, arpa y maraca, círculo militar y los libertadores de turno, todos de anime, muñecos por derrumbarse entre el óxido, el papelillo y la risa. Yo como tú nacimos entre una eclosión de modernidad, en enormes casas que se parecían a Walter Gropius y a Lloyd Wright, con muebles daneses, madera que tapizaba las paredes, arte constructivista, zapatillas Chanel de patente, Los Beatles y Stravinsky. En mi casa de toda la vida me encontraba en las esquinas con Le Corbusier, mi padre estaba de corbata todo el día, jamás fuimos a Miami, íbamos a Europa todos los años, en Suiza vivían mis tíos que ya ni preguntaban por Venezuela. Les parecía totalmente innecesario porque el país era casi perfecto y sin alteraciones, más allá de unos izquierdistas irredentos que finalmente ultimarían su gran destrucción. Lo más cercano a la noción de Venezuela que tengo es el olor del aula magna de la universidad central. No tengo otra referencia, para mí eso es el país, como el vitral de Léger de la biblioteca de la universidad. Caracas para mí es la escultura de Arp. Insisto, el aroma que dejó Villanueva en esa sala de júbilo con las nubes de Calder es mi identidad nacional. De esa misma UCV salió la generación que construiría esa modernidad y su contra generación que la asesinaría y nos devolvería a la premodernidad agrarista de unos resentidos bolcheviques de barrio. Tú crees que yo me paraba en las salidas de la autopista del Este para comprar jugo de caña. La Coca-Cola es para mí la bebida nacional: vine a saber qué era eso tan raro del papelón con limón en un pueblo del interior como a los diecisiete años, una vez que andaba derrapada por Chirere. A mí los valores patrios me importaban un carajo. Para mí un valor patrio es el Old Parr, el whisky que tomaba mi abuelo y que encargaba por cajas. Si hasta me rasparon en Moral y Cívica porque me quedaba dormida y todavía no me quedan claras las diferencias entre el Almojarifazgo y La Cosiata. Y ni menciono al Simoncito, un personajillo verdaderamente trágico, pariente mío y demás, al que usan para ponerle nombre a todo desde las plazas, meaderos hasta los lavaplatos y destapa cañerías. Y toda esa ilusión de la modernidad, esa visión interminable del progreso, de que todo sería siempre como Playa Azul o el teleférico, se resquebrajó de pronto y se convirtió en un abismo. Y llegaron los vándalos. Y se quedaron. Y no es que esto sea Roma y los exterminadores que tenemos sean tribus germanas. En el estilo tropical todo es con hielito frappé pero bastante peorcito aunque ligero.

Cuando yo nací me cuentan que mi padre llamó a Rodríguez y enseguida hubo un coctel en la casa. Yo era y sería la única hija. A mí madre después de varios intentos en la clínica de reproducción en St. Gallen, habían logrado fertilizarla y mi padre insistió que yo naciera en Caracas, en el Centro Médico de San Bernardino, en ese edifico imponente de la constructora Tani y Stelling para que me registraran en la Parroquia El Recreo y que no me despertara nadie de mi sueño caraqueño. ¡Ay Aldemaro! No importaba lo de las nacionalidades, que sabes que tengo dos además de la venezolana, pero lo primero era lo primero. Y lo inaugural era Venezuela aunque mis padres esa misma semana me inscribieron en los consulados de mis dos ciudadanías. Lo primordial fue siempre Venezuela pero este país se fue a la mierda pura y con perspectiva de permanecer allí. San Coprófago es ahora el patrono nacional. Era el mejor país sobre la tierra y mira en lo que devino. ¿De qué valió tener tanto capitán general fundador de ciudades, tanto prócer acumulado colgado como un soldadito en el árbol genealógico, de que valió hacer un orgullo con la historia si esto se disolvió por completo y quedó para el mejor postor?

Mi madre nunca aprendió del todo a hablar castellano. Yo no le respondía en alemán porque me molestaba que no le diera la gana de hablar el idioma de mi papá y mío. ¿A cuenta de qué? Si se había venido para acá y este país le dio todo: empezando por la luz y el color: los rojos, los marrones intensos de la tierra, los azules del mediodía y los ocres del final de la tarde. Con los años se decidió por un territorio lingüísticamente intermedio entre ella y yo y nos empezamos a hablar en inglés, pero tampoco me gustaba que no le importara hablar en el idioma de un país al que se había mudado. Yo tenía esos pequeños arranques nacionalistas que mi padre aplaudía sin mucho convencimiento. No te ilusiones tanto, me decía. Y seguía diciéndome: soy como Guzmán Blanco, prefiero París a Caracas. Algún día te acordarás de mí en esto. Y así fue: vaya su santa y bendita palabra por delante que, desde donde estés mi Papi bello, querido y elegantísimo, fumándote los Camel que te empujaron prematuramente al cementerio, debes estar riéndote de aquella ocurrencia. Tú serás mi Venezuela Papito, no habrá nunca nadie como tú. Siempre pensamos que Venezuela permanecería como el mejor país del mundo y nadie imaginó nunca en medio de aquel país cosmopolita, tragón y bebedor que los miserables nos arrebatarían nuestra seguridad y esto se dispararía al cipote lejano. En dos platos, mi país se fue a freír monos y tú con él. Lo siento. No, no lo siento. ¿Qué quieres que te diga?

Hace frío en la estación Austerlitz pero te repito que es el frío más liberador que he sentido en mucho tiempo. No sé porque me detuve en este banco a escribirte todas estas cosas. He podido tomar una mesa en Les deux Magotes, hasta en la Brasserie Lipp que nunca te gustó y le enrrostrabas un gusto pequeño burgués que parecía henchirte de felicidad. Como si fueses un habitual del circuito Michelin. Esas ínfulas te venían de vez en cuando hablándome con engolamiento de Alain Ducasse y Robuchon. He podido sentarme en una mesa en L'Arpège para que monsieur Passard viniera a saludarme porque sabes que me conoce y mandarte estas frases para que te las comieras con tu salsa de tres estrellas. Digamos unos *Aiguillettes de homard*. Tus cordoncitos de langosta de Chausey, obtenidos para ti mismo en Normandía para que los degustaras en paralelo con el plato nacional de tu escogencia. Siento cortarte el apetito, como dicen los cursis, pero he preferido abundarte todo en una comanda tomada desde una madera helada, para no sentirme ni por asomo confortable con esta incomodidad de la que venido a deshacerme para siempre.

De tetas golosas y azucaradas. Así celebrabas a la que fue equivocadamente mi mejor amiga en tu mail. Que te revisé los correos después de haberte desenmascarado. Y yo hasta lo había desaparecido. Lo sepulté donde creí que nunca más lo hallaría. Como mecanismo de protección. Dicen que los matrimonios hay cuidarlos, que hay que hacer sacrificios. No me importa admitir que yo caí en eso. Evité el hundimiento del buque. Te perdoné. Porque a las mujeres les sale perdonar o les salía perdonar. Te vienen con que claro que te quiero, aquello fue sólo sexo. Y ustedes los hombres, como fornicadores profesionales e introductores fálicos en cuanta vagina se encuentren en este extraviado mundo, andan evangelizando y convenciéndose de que apenas es sexo. Un deporte más. Ya todo el mundo hace el amor con la luz prendida. Delante de cualquiera. Las aprehensiones del pasado dejaron de existir. Se vende sexo en todas las esquinas. Total es una actividad rutinaria, del día a día, sin importancia. Eyaculaciones sin compromiso y al detal y aun así yo rodee aquella basura de cuento, aquel momentico en que no pasó nada, con todo lo que te quería y lo bajé al sótano menos transitado de mis hábitos y recuerdos. Por donde no pasaría nunca. Aquello era como dejar en un sitio blindado y seguro los desechos nucleares. Fuera de la conciencia. A salvo de que interrumpiera la vida cotidiana, el tráfico de la vida diaria. Total, eso no tuvo importancia según me decías con un sentido descomplicadísimo del deber ser. Tú encaramándote sobre mi mejor amiga, yo luego llegando y me decías cuánta falta te había hecho en el viaje. Que era excesiva la falta. Además de la traición, lo que más duele son las palabras para esconder la traición. Los adjetivos, los verbos para salvaguardar una traición. Luego lo descubrí fácilmente. El crimen perfecto como el cacho perfecto no existe. Así como los cadáveres hablan por última vez después de un asesinato y guardan los datos para acusar a sus perpetradores, así se dejan las pistas para desacreditar toda coartada. Fuiste tan inepto como para pagar el hotel con la tarjeta de crédito y no sé si fue que quisiste que me enterara, nunca te revisé tus cuentas, pero se cayó el estado de cuenta en el piso. Un día voy caminando por la casa y me consigo tirado en el comedor el balance de la Amex. Y allí estaba el monto exacto de traición, el día exacto de tu traición, la hora puntualísima de tu traición. Y no es que tú te encerraras a escribir frases en hoteles conocidos. Porque ni siquiera tuviste el tino de buscar lo desconocido. Lo demás, armar la escena del crimen fue sencillísimo. Fui hasta el hotel y al mostrador. Naturalmente busqué hablar con una mujer. En la solidaridad, y en estas solidaridades las mujeres nos entendemos. Pedir champaña fue tu peor decisión. Le mostré la foto a la empleada y me describió con quien venías. Y aun así te perdoné. Pero como me topé con la cuenta, regresé a encontrarme con el recuerdo olvidado. Me preparé para descender al Hades, a la despensa inmunda donde dejé para siempre tu acto también inmundo y lo volví a sacar para no olvidarlo nunca y para que me sirviera de cuota inicial para despojarte de todo sentimiento y finalmente de lo que eras. Para que te murieras en vida, en mi vida y no resucitaras jamás. Luego hasta traigo de nuevo tus palabras, tus juramentos, tus pedidas de perdón. Lo mejor fue telefonear a mi amiga: asesinarla moralmente sólo con una llamada porque hablé a la casa de sus padres, unos rezanderos del Opus Dei, de confesión semanal y comunión diaria. A esos beatos tan circunspectos, tan de gente decente, reconocida, de buenos modales, de mesa impecable, servilletas almidonadas, vajilla inglesa con motivos campestres y cubiertos Christofle. A esos mojigatos que sólo se apareaban para procrear y su familia numerosa así lo demostraba, a esos perfumados de mirra y de incienso les dije claramente que su hija, su bellísima y virtuosa hija, tan de su casa, sus conocidos y sus amistades, lo que era, era sencillamente una soberana puta que tiraba con hombres casados. Que le abría las piernas con su sexo depilado sin dilaciones al que tuviese una alianza matrimonial porque eso le hacía las cosas más fáciles. Que se especializaba en la *fellatio* matrimonial, en el *doggy style* de princesa caraqueña y que no desaprovechaba ninguna gotita de los lácteos mundanos. Y les di detalles, horarios, precisiones, rutas, posiciones. Y todavía deben estar en llanto. En un llanto eterno que las barajitas de Escrivá no sanan ni olvidan. Y que nunca lo harán.

Pero todo esto es el pasado. Y si te lo cuento, no ha sido con otro propósito de que supieras dónde ha quedado sepultado todo y el apellido exacto de sus epitafios. De pronto si no hubiésemos estado atrapados en el estúpido país que arruinó todo, a lo mejor esta carta, este mail, no hubiese llegado nunca. O a lo mejor se habría empeorado lo tuyo y lo mío sin más. Toda contrafactualidad es la apuesta de los impostores. Lamentarse por lo que no ocurrió es demencial porque finalmente se fue al diablo todo. Y no sabes lo aliviada que me siento habiendo dejado atrás ese perverso acto premoderno en que se convirtió mi país, la mojiganga militar, lo militar que es lo más pernicioso que puede tener una sociedad donde se hacen desfiles militares que son parrandas de carnaval. Ay Simoncito, lo que nos dejaste, la costosa y desgraciada herencia que nos dejaste. Haberme escapado de esa sargentada, de próceres criados entre desechos fecales y zamuros no sabes lo que me contenta. En el continente en el que estoy las cosas no son color de rosa tampoco ni me provoca caer en una comparación sin sentido. A mí me asfixió aquello. Los venezolanos que se han ido sostienen vivir en el exilio. Ya lo habíamos iniciado desde allá. Era vivir en prisión, una prisión lujosa y holgada pero prisión al fin. En este mundo desviado vale la pena salirse de él y volverse a meter. Como en el juego de la cuerda. Había que saber cuándo meterse y cuando retirarse.

Es posible que me esté llenando de excusas. Que trate de darle coherencia a lo que dejó de tener sentido. Muy probablemente dejé de quererte más allá de que te precise que me impuse hacerlo. Yo también te engañé y nunca te diste cuenta. Lo hice y nunca te diré con quién. Lo conoces, lo tratas. Te dejaré con una duda que te socavará y te perseguirá para siempre. Lo hice por venganza y te lo digo por venganza a sabiendas de que no fue aquella vez de Los Roques la primera vez que me engañaste. He sabido de cuentos y comentarios que nunca quise verificar. Mi amiga Ceci Silva—Díaz sostenía con impulso que el chisme era la unidad mínima del relato. Para eso no la sigo. No quise abundar en tu relato porque en aquel momento todo me llevaría a la deconstrucción. He cambiado mucho, hasta empiezo a ser despiadada. La diferencia es que tú lo hiciste a conciencia, sin pensar en mí. Yo te engañé pensando en ti por lo que me hiciste. La misma persona que me tuvo, poseía tu rostro en ese momento porque eras tú a quien vi cuando me hizo estremecer y supe finalmente qué era aquello del sexo sin amor. Y lo aborrecí para siempre. Cuando volví a ti lo hice lamiéndome las heridas que yo misma me había hecho para recuperarme pero que a la vez me condenaban. Odié al mundo ese día, desprecié a la humanidad y me aborrecí a mí misma por pertenecer a un maldito y desesperanzado grupo animal que traiciona lo que ama. Que es capaz de asesinar la vida de la vida. Y quiero que sepas que de veras el amor que te tenía fue el que me permitió sobrevivir a mí misma por un largo tiempo. Pero pasó que nunca terminé perdonándome que me humillara a mí misma para vengarme, que descendiera al terreno de los que no aman, de los que se han quedado ciegos para negarse a ver lo que les rodea, que terminara confirmando y ocupando el sitio de la vileza. Nunca pude regresar a ser quien era. Ello me ayudó también a tomar la determinación del abandono. Siento haberte dicho esto. Pero no podía seguir ocultándolo en mí misma y desarraigarlo ha sido una liberación. Empiezo a lograr que las palabras hasta me bendigan en su huida. La que también necesitaba para empezar de nuevo. Con otra dirección, con otro destino, con este frío que termina protegiéndome.

Me queda pedirte que no me busques. Si has pensado que viniéndote a París lograrás disuadirme de mi decisión, te equivocas. No cometas esa insensatez, harías el ridículo. Le he pedido a Rui, el conserje portugués a quien nunca le has caído bien, que no te deje pasar del vestíbulo. Siento decírtelo pero la rue Grenelle ha dejado de pertenecerte. He borrado todos y cada uno de los instantes cuando veníamos juntos a la Grand Epicerie. Por lo demás salgo de París en estos días. Tengo muchos años queriendo recorrer el mundo. Hay muchas fotos que debo hacer. Sabrás de mí periódicamente. Me ocuparé de escribirte de vez en cuando para recordarte cómo vives en el olvido. Sólo te pido que cuides y alimentes al perro. Lo demás, colócalo eternamente en disolución.

María Silvia

III.
LA AMISTAD CON LOS PERROS ES DISTINTA

María Silvia regresó por el perro. Así como urgente, más allá de sus propios argumentos. Un día escuché que accionaban unas llaves y era ella. Se veía distinta, urgida, fría, como si tratara de apurar unas grageas contra el dolor de cabeza o quisiera esbozar una catástrofe. Entre el momento cuando se fue y esa mañana daba la impresión de haber transcurrido una vida larga que se disipó de inmediato cuando soltó la frase alrededor de la cual haríamos vida momentáneamente: He venido por el perro. A mí me encantaba que se llevase para siempre a ese sujeto contraído y bilioso al que nunca le tuve ni cariño ni odio. No había sino indiferencia ayudada por el hecho de que hasta me había mordido en dos oportunidades como he dicho. De lo que me estaba librando era de ponerle comida dos veces al día, de pasearlo ocasionalmente, de llevarlo al veterinario y sobre todo, de su presencia inamistosa. El perro habría intuido que su destino cambiaría ese día porque antes de que llegara María Silvia, estuvo inexplicablemente activo y distante: dio muchas vueltas por la casa como si estuviese anticipando algo que veía venir. Quizá había soñado esa noche con un zorro al que perseguía en medio de la campiña inglesa o con algún impresentable roedor caraqueño. Yo mismo le había puesto su comida. Los beagles son grandes lambucios que comen absolutamente de todo, no perdonan ni dejan nada en el plato, devoran con una prisa aterradora y les puedes volver a servir lo mismo que igual se lo zampan hasta reventar. Nunca lo quise y para esto lo ayudaba su nombre, Caurimare González, que se lo había escogido María Silvia por alguien que le recordaba a alguien del bulevar del Cafetal. Vaya a saber con qué clase de drogadicto tambaleante se juntó para ponerle ese nombre desdeñable. Ella fue la responsable de haberlo traído a la casa y claro que también se lo llevaría. Tengo cariño por los perros pero este era un ejemplar maltrecho, un alter ego de María Silvia, que recogía la proyección animista de alguna de sus características más controvertidas. Era inalcanzable, distante, autónomo, indiferente, soberbio. Parecía más bien un gato. Nuestras relaciones se restringían a un arreglo mínimo que ninguno estaba dispuesto a alterar y muchísimo menos a mejorar. Él no se emocionaba al verme y tampoco yo lo acariciaba. Con María Silvia siempre se portó con devoción. La perseguía y tocaba sus piernas como también me gustaba tocarlas a mí, era cercano, interesado en ella, muevecolas y sobre todo servil hasta el punto de gemir por ella. Cuando ella se fue, fue como si lo hubiesen azotado. Parecía haber recibido una condena implacable. Estoy convencido de que los perros piensan y razonan y alcanzan sabias conclusiones que sólo comparten con los de su raza en medio de los olisqueos que se procuran. Seguramente esa mañana Caurimare González olió a María Silvia. Algún lejano bálsamo de ella flotó por los aires del valle de Caracas, un perfume completamente íntimo desprendido de sus prenda interior, esa fragancia personalísima la condujo un viento súbito y se introdujo en la casa para exaltación de las fosas nasales de Caurimare González quien se puso inmediatamente en guardia y comenzó a recorrer las escaleras como si nunca antes lo hubiese hecho en procura del cambio irrevocable que urgía en el ambiente. Como dije, si el día que María Silvia desapareció el perro lo supo, no es descabellado suponer que también entendió que volvería por él. ¿Será posible pensar en el optimismo de un perro? ¿Llegar a la conclusión de que tiene alguna idea del futuro más allá de su alimento granulado? Me ladró temprano en medio de su inquietud, no le iba a poner comida de nuevo porque lo había hecho y agua tenía, y me ladró tres veces más con sus pelos tricolores marrón, negro y blanco y sus verrugas aristocráticas que lo hacían descendiente de un famoso beagle del duque de Kent que fue lo primero que me comentó María Silvia al cargarlo la primera vez y a lo cual no le di la mas mínima importancia pensando en lo súper engreído que también podría haber sido el ascendiente cachorro anglosajón, primer acusador de zorros del castillo de Windsor, Sandringham y vecindades.

«Vengo a llevarme al perro» y el perro no se lo creía y saltaba y gemía y gemía y ladraba y ladraba y ladraba, y la babeaba y ella lo agarraba y ella lo besaba y el perro ya tenía la cola como un ventilador de tanto que la movía y una invicta excitación fálica. Una imagen de pleno idilio, expreso, definitivo, contundente entre dueña y perro. La epifanía del *canis familiaris*. La madre pródiga que sigue siendo pródiga pero que ha llegado para volver a irse pero esta vez con él. Los ladridos hacia María Silvia eran de euforia, los que me dedicó a mí fueron de una extraña advertencia como si me anunciara una calamidad inexplicable. En el fondo yo estaba desconcertado. Luego de la reciente carta de María Silvia, aquel libelo del despojo nacional, tanta acusación, tantos saldos paraestatales y refundación de la nueva personalidad, tanto huir, hacer apostasía del país, vomitar sobre los recuerdos, almacenar los retazos de una etapa en párrafos definitivos y acusadores para venirse un momentico porque es que se me quedó algo. Jurar por el futuro, liberarse de las cargas del pasado, soltar las amarras de todo vínculo y *muérete que dejé el blushon y aquí estoy.* Porque no me vengas tú que después de esta oración fúnebre de Pericles donde has mandado al país al más allá, me regresas con que me devuelvo para llevarme el beagle para pasearlo en Luxemburgo y el Bois de Boulogne. Para contar luego, porque lo hiciste María Silvia, que Caurimare González era un perro exiliado y que había que abogar por los derechos de los perros en Venezuela. Por favor tráiganme el protector gástrico.

Ella recogió las pertenencias del cucañero[1]. Vino en sandalias para hacerme la vida miserable y que le deseara sus uñas de fetiche. Apenas me habló. Conversó sobre unos arreglos económicos y el convenio que me hacía abandonar la casa, que partiríamos en dos deshaciendo la comunidad conyugal, para dársela a unos

[1] No sé. Se me hace que entre estas prisas contemporáneas se ha olvidado el significado del término. Lo pongo a disposición del lector veloz. La fuente es el DRAE. cucañero, ra. De cucaña.1. adj. coloq. Que tiene maña para lograr las cosas con poco trabajo o a costa ajena. U. t. c. s. (Nota del editor).

nuevos propietarios que me entregaban un apartamento en Los Palos Grandes. Tenía dos semanas para desalojarla. Ya eso se venía conversando con juristas engominados con diploma de Duke y el archisobado LL.M, Master in Law que no es más que un curso de inglés para abogados, así como los restantes convenios que acepté sin discutir puesto que eran justos y no me perjudicaban pero regresó para refrendarlo en mi mismísima cara desde su jerga replegada. Sin que lo supiera, antes de irse había introducido una demanda de divorcio sobre la que ni siquiera comentó en su carta liberadora de Austerlitz. De modo que en un par de meses hasta estaría divorciado. Le sugerí que había formas más civilizadas y elegantes de hacer las cosas. Se quedó viendo con esmero un collar anti pulgas y no me respondió. Subió al cuarto y vació los clósets: hizo una llamada y en seguida llegaron unos mudadores que trajeron material de mudanza y guardaron en cajas todo cuanto ella pedía que se empacara. Yo no decía nada. Contemplaba el desmantelamiento eficiente de una relación que pudo considerarse hasta feliz. Todo sucedió con tal rapidez que lamentarse habría constituido un anacronismo. Nos vimos la primera vez por los días de la huelga cuando en Caracas no había gasolina y los ciclistas pedaleaban a sus anchas. Nunca como en ese tiempo, vivimos una ciudad despreocupada por ser. La gente dejó de ir a los trabajos, los petroleros abandonaron su industria, no había servicios y esto era motivo de celebración. Lo único que se logró fue convertir un populista en un tirano. Yo al menos la vi y luego de un tiempo en aquel almuerzo del que la saqué. Era increíble el júbilo de aquellos días de brazos caídos. El país en paro general y la gente con la fiesta en la cabeza.

Una vez se produjo una toma heroica de la autopista y se organizaron unas muy lucidas bailoterapias. Había traficantes de gasolina, te la despachaban hasta tu propia casa. Un día me enteré que quien habitualmente me surtía el tanque, igualmente le procuraba los alcaloides tropano cristalinos a un vecino, vale decir de benzoilmetilecgonina, o C17H21NO4, cocaína al detal *stricto sensu*. Hizo más jolgorio que nunca y comentaba que la historia estaba cambiando gracias a los luchadores como él. El populista permaneció y el cocainómano murió dos años después de un infarto quejándose de la historia sin haber nunca abierto uno de sus libros. Y todos permanecimos contra él. De aquellas jornadas turbulentas y eclipsadas emergió María Silvia. Lo demás tomó su tiempo. Ya casados, trajo al perro que lo primero que hizo para establecer distancias fue gruñirme con malevolencia. Y María Silvia le celebró la gracia.

El perro nunca fue mío, siempre le perteneció a María Silvia: jamás me hizo caso. De allí que siempre pensé luego de su huida que Caurimare González no podía tener un espacio junto a mí. ¿Cómo además podía llamarse así siendo descendiente del perro del duque de Kent? Pensé en regalarlo. Tal vez el perro comprendió mis intenciones ya que moderó su consagrada hostilidad. Él tampoco podía darle crédito al abandono de María Silvia. Supongo que en su cerebro canino —insisto: piensan y razonan— podía admitir y contentarse de que ella me abandonara. El amor o el desamor entre una pareja nunca deja de ser del todo racional mientras que hacia la mascota no sé si es irracional del todo. Por lo tanto, siendo que el abandono a su marido describía a la perfección una decisión cerebral, mental, neuronal, este jubiloso cartesianismo no podía extenderse a Caurimare González siendo que a él lo querían sin esfuerzo y sin preguntas. Era un cariño a salvo de los chantajes del raciocinio y en consecuencia, inexpugnable y continuo. Cuando empezó a olerla a la distancia, al iniciarse el proceso perceptivo del perro de la inminencia de María Silvia, concluyó una vez que ella abrió la puerta que sus desenlaces estaban en lo cierto. Pensaría que al sortear la cerradura apenas si lo saludó a él y corrió donde el beagle a confirmar su amistad imperecedera hasta que la muerte los separe. Lo que el perro ha unido que el hombre no lo separe. El perro se sintió más colosal que nunca. Lo veía a él de reojo y humillado, puesto a un lado. Al margen. En la periferia. Le provocaba volverlo a morder.

Ese perro, esa caricatura de animal, ese bosquejo canino se vanagloriaba de una escena de poco oxígeno, categóricamente modesta, un triste apocalipsis en singular. Se ufanaba de un incidente de familia feliz que pasa anakareninamente a una escena infeliz. Todas las familias felices tienen un perro al que dicen querer y en eso se parecen unas a otras; pero cada familia infeliz tiene un motivo especial para sentirse desgraciada y esto es un perro malagradecido sin mencionar una esposa que ha abandonado el hogar. Que poca épica. Qué sentido tan recortado de la epopeya. ¿Mi matrimonio por un perro? ¿Mi reino por un caballo? Espera Esteban, no exageres, déjame que te cuente caraqueño que el ensueño no te deja evocar la memoria. Tú fuiste el primero que pensaste en irte y luego se cambiaron los papeles. No hay peor cosa que un arrepentimiento dentro de la certeza. Tomaste una decisión y no supiste llevarla a cabo. Ya sabes que la peor decisión además es la que no se toma. Tuviste un desorden sobrevenido causado por tu miedo a lo desconocido, la típica inhibición psico—conductual que te obligó a apreciar lo que tenías y a no arriesgarlo. No te quisiste aventurar, asomarte al vértigo que supone cortar los lazos con lo establecido. Ella sí, supongo que no se lo cuestionó tanto. Acomodó una sobre otra sus reservas vencidas e hizo un pago de contado por todo el saldo: dejarte. Pero eso ni siquiera tú ni se lo has reprochado. ¿Cómo hacerlo si venías acostumbrándote simplemente a ella, navegando entre las charcas de lo cotidiano? Muchas parejas continúan juntas por las costumbres que han acumulado a lo largo del tiempo. Representan un caudal para enfrentar los plazos de la incertidumbre. Las costumbres los visten, los protegen, los ponen a salvo de cualquier riesgo y los aniquilan también. Tu problema es que ella se te adelantó y te arrebató para siempre el libreto. Dale las gracias. Agradécele a María Silvia que cargara con el impresentable de una maldita vez, que te quitara de encima a ese chucho flatulante y malhumorado.

Ese tal Caurimare González no es Flush precisamente. Flush era el cocker de los Browning. Y los Browning eran una pareja inglesa de poetas del siglo XIX, Robert y Elizabeth. Virginia Woolf le escribió una novela al spaniel y le puso Flush como su nombre. Eso es como si hoy en día para no irnos tan lejos, Laura Restrepo o Rosa Montero le escribieran una novela a un perro. Flush viaja con sus dueños en la Inglaterra victoriana (los ingleses se aburrían fácilmente de la isla pero al pisar el continente o cualquier continente consideraban a los demás como extranjeros). Flush es como sus dueños. Más allá de la cuestión de la raza, un Caurimare González nunca podría tener tratos con un dogo como

Flush Browning, que tiene la distinción y la cultura de sus dueños y es lógico que cuando llegue a Florencia vea con desprecio a los perros italianos. De hecho los Browning se habían hartado de Inglaterra porque Elizabeth había sido desheredada por su padre a quien su matrimonio con Robert le disgustó. Flush recorre las calles meridionales. Contempla los de su raza, perdón los distintos a su raza y los llama mestizos, *mongrels* en el original. Flush es un perro que razona, más allá de que todos lo hagan como he querido suponer y lo vuelvo a decir, es un perro prócer, un digno miembro de la familia de sus dueños que ha interiorizado sus conversaciones celebérrimas. Flush poseía humor negro, ironía, sentido de clase y de casta. El tuyo a lo mejor tenía alguna ilustración, quién sabe. No todos los perros de las novelas tienen el hocico parado y ven por encima de sus orejas al resto del mundo como el caso del perdiguero londinense. Allí está Tombuctú, el perro fiel de la novela de Paul Auster que no desampara a su dueño que ha llegado a los confines estremecedores de habitar la calle. Tombuctú es perro democrático sin la ilustración de Flush pero con la practicidad de la vía pública. Un perro callejero es un perro adaptado a las circunstancias, un sobreviviente nato, un guerrero que lucha contra el nazifascismo de las perreras municipales erigidas en agentes del exterminio masivo de los callejeros. No es sólo el respeto a los derechos humanos. Es el trato a los perros, a los animales. Aquí hago un paréntesis para dejar constancia que los únicos perros a quienes desprecio y no por ellos sino por lo que han sido convertidos por el hombre mismo son los pitbull. Mi amiga Cristina Outlaw tenía a Berta, una pitbull de cuento infantil lo que demuestra que la educación la preservó como salvaje bondadosa. Pero esos perros son la hechura de unos genetistas mengelianos que reproducen a Frankenstein en su versión canina, delincuente y homicida. Hablaba de Tombuctú y los perros de la vía. No hay perro más noble que el de un pordiosero porque comparte su destino menesteroso y no lo abandona. Los perros de la calle son los más aptos de la escala darwiniana, los verdaderos triunfadores de la vía pública. Son súper agiles, parecidos a lo pilas que son las moscas venezolanas. Hay que ver lo que cuesta aniquilar una mosca venezolana. Son rapidísimas. Tengo un pariente que las compara con las moscas gringas: él dice que son gafísimas las moscas gringas y que resulta muy fácil matarlas. Este tal Caurimare González no resistiría ni una tarde en un bulevar. Caería fulminado de un ataque cardíaco. María Silvia se llevó mi maleta favorita para empacar todas las pertenencias del elemento. Intenté buscarle conversación, traté de preguntarle si es sensato que las relaciones puedan terminarse del modo como ella lo buscó. ¿Dónde está el shampoo de Caurimare? Respondió. Fue su única respuesta. No me molestes, te lo pido, agregó con ese tono jerárquico de hija consentida y propietaria de un apartamento en París y en Nueva York. —Tengo que terminar de sacar todo lo mío de acá y tú insistes en lo que no existe— volvió a terciar con un tono más jerárquico y específico de la rue Grenelle y Park Avenue. —Un día de estos te mando otro correo si quieres más explicaciones—. Esta vez la pronunciación lucía la condescendencia del idioma superior que se encuentra a un minusválido en el camino. —Métete tu correo, trágatelo, recoge todo lo tuyo y conviértete ya en una foto olvidada— le grité mientras tiraba un portazo y me encerraba en mi estudio que me ofrecía algunos días adicionales de saldo para el resto de lo que me quedaba vivir en esa casa, que era instantáneamente mía y que no lo sería más.

Beff era el perro de mi vecino, el editor. Un cacri orgulloso de su no ascendencia, callejero criollo, de ser el primero de su raza y sin un certificado del American Kennel Club firmado por unos tipos con blazers azules con guirnaldas de tafetán. No, Beff sí que era otra cosa. Parecía sacado de un cuadro de Centeno Vallenilla. Era un perro orgulloso, nativista, emancipado, seguro de sí mismo que iba a su aire. Entraba y salía según le diera la gana y tenía algo tremendamente imposible de creer. Hablaba a su manera. Lo vuelvo a repetir. Hablaba. A su manera. Era capaz de transmitirte sus pensamientos no sé si por un extraño mesmerismo[2] hipnótico pero lo cierto es que lo lograba. Un día se enfermó, coincidencialmente estaba yo en la casa del editor y lo iban a llevar al veterinario con los fines más funestos: dejarlo dormido para siempre. Lo vi echado y me dijo o me transmitió: —¿Puedes creer esto?— Se quedó a solas encerrado con el veterinario y lo convenció de que no le aplicara el Pentotal. El veterinario lo contó ante el asombro y la incredulidad de todos. La clínica estuvo casi al borde de la quiebra porque los dueños de perros creían que el doctor Devletian estaba mal de la cabeza y dejaron de ir hasta que no se volvió a tocar el tema que

[2] La buena y hasta engañosa fe de Esteban aquí es proverbial y pródiga. Pretende convencernos de la racionalidad y hasta un idioma de los perros. El problema del abandono causa ciertas alteraciones en la percepción de la realidad. No en balde, aunque no lo reconociera expresamente, Esteban en esos días estaba planeando un viaje al Perú para tratarse con Ayahuasca. Lacan decía que la ética de un sujeto se define según el coraje de seguir su deseo. Desconocemos el verdadero deseo de Esteban, lo cual incluye por descarte su ética y su coraje.

termina por cierto en que Devletian dejó que Beff escapara por la puerta trasera de la clínica. Al perro no se le vio por un tiempo. Dejó pasar unos meses y se apareció en la casa de la hermana del editor a quien le expresó o le transmitió que ya era tiempo de regresar a su casa original a pesar del intento de asesinato consensuado y que además estaba perfectamente sano y que en caso de dudas consultaran con Devletian. Regresó y no duró ni tres semanas. Ya se había roto el diálogo. En esas semanas ni habló o no transmitió y un domingo se fue sin despedirse. Nunca más se tuvo noticias de él.

La frase, «mientras más conozco a los hombres más amo a los perros», no sé a ciencia cierta a quien se le ocurrió. Se le asignan a un filósofo griego, a Shopenhauer y hasta a Adolfo Hitler. Es una sentencia impropia. Nadie puede querer más a un can que a un ser humano. Ni siquiera a los perros pensantes como Flush o Beff. Pasa que la amistad y la compañía de los hombres son complejas. Sobra decir que al referirme a los hombres incluyo por igual a hombres y mujeres y no tengo por qué sumarme a la histérica tendencia patentada por los leguleyos de la paridad de géneros de invocar «las» y «los» como un cantábile programado. Además, tremendamente idiota. No pienso resbalarme entre esas ligerezas apologéticas. Y la amistad siendo lo más preciado que existe, es absoluta, se salva a capa y espada, se invoca el universo entero para defenderla, nos ofrecemos en fianza personal para garantizarla y en medio de esas batallas interminables sufrimos desilusiones y sorpresas. A medida que crecemos (a medida que envejecemos) nos encontramos con que la vida registra una serie de gente que llega y gente que se va. Ustedes son testigos de lo de María Silvia. Se fue. No volverá.

C'est fini. Kaputt. It's over baby. Claro, María Silvia era mi mujer pero también mi amiga, la mejor de todas, esposa, amiga, amante, compañera y zas, de un plumazo volaron todas las definiciones y se derritieron todos los adjetivos. Hay amistades que creemos sólidas y de pronto nos damos cuenta de que lo que creíamos indestructible también se ha ido. El tiempo las corroe, la envidia las mina, los intereses se sobreponen, terceros las boicotean. La amistad es entre dos personas. No podemos pretender crear relaciones de afinidad más allá de la propia amistad. La amistad que es lo más sagrado que existe, requiere tan sólo de lealtad. Con la lealtad sabemos que está todo a resguardo. Donde no hay lealtad no hay amistad. Y la lealtad entre dos amigos exige que aceptemos a la persona tal y como es sin pretender hacer de ella otra persona y no pedir nada a cambio. Si esto no se respeta entonces los amigos hablan mal de los amigos, algún comentario descolocado le da la bienvenida a otro y la maledicencia se encarga de hacer pedazos una amistad que se creía para siempre. De los amigos no hay que decir nunca ni una palabra, hay que acudir incuestionablemente en su defensa y no hay otra cosa que ofrecerles sino lealtad. Un amigo que te diga alguna de esas expresiones aberrantemente sosas, incomprometidas y para salir del paso como «cualquier cosa me avisas», es el primer signo de que no se trata de una amistad sino de una formalidad. Los amigos no te preguntan, no esperan que los llames. Los amigos se te adelantan y están allí, en la hora exacta de tu necesidad, dispuestos a todo.

El ejemplo de una amistad resquebrajada la da mi amigo Sándor Márai. Tengo otro amigo, J. M. Coetzee, que no es muy devoto del húngaro. Con los escritores cabe la expresión de amistarse con ellos. Somos sus amigos sin importar que los conozcamos personalmente. Es más, diría que es hasta desaconsejable que los conozcamos. Priva la unilateralidad. La amistad literaria puede ser mucho más aconsejable que la personal ya que resiste a las trampas del desencuentro. Las diferencias se dirimen estrictamente en el plano literario. No hay otra frontera que la del libro. Hay grandes coincidencias y desatinos con los personajes. Personajes que añoramos o despreciamos, a quienes adoramos o de quienes discrepamos. Y en el fondo de la trastienda está nuestro autor. En uno de sus ensayos Coetzee le cae a batazos críticos al húngaro por su Último encuentro que en magyar originalmente es *A la luz de las velas*. Son dos amigos que se rencuentran en medio de la Segunda Guerra Mundial para saldar unas diferencias de juventud. Como dice Coetzee, el regreso de uno de ellos desde el extranjero se realiza de la forma más natural sin importar que se estuviese en medio de una guerra y, sobre todo, de una guerra como esa, estando Hungría bajo la bota inmunda del nacionalsocialismo. Este señor cruzó países, alcabalas, pasó frente a ejércitos enteros, líneas de contención, campos minados, ghettos, ametralladoras y perros para arrellenarse cómodamente a la luz de las velas y conversar con su viejo amigo. El surafricano no se queda allí y habla de esa amistad como homoerótica. La expresión parece infeliz. Eran dos amigos de verdad finalmente separados por el amor de una mujer. Una vez más, la búsqueda de afines más allá de la amistad que se lo puede llevar todo. En estos tiempos *gluten free* y de la lucha contra el *bullying*, de investigar celíacos en el árbol genealógico de la salud y de la completa corrección en la transformación neurolingüística del idioma para no herirle susceptibilidades a nadie, pues si es homoerótica o no la amistad de aquellos ejemplares austrohúngaros rodeados de bibliotecas, lienzos del Danubio y trofeos de cacería me importa un pito. El modo en que cada cual direccione sus gustos y tendencias, ni da derechos ni otorga privilegios. Parte de las ñoñeces de nuestro cortocircuitado mundo es que del modo como copules se traduce la garantía de conseguir mayores reconocimientos. No me hagan reír. Los más perjudicados de este reparto de dádivas obsecuentes son los onanistas y los heterosexuales a quienes ya nadie presta atención por estándares y convencionales. Estoy seguro de que pronto los zoofílicos serán reconocidos como un gremio mundial y lucharán por su inclusión en las agendas legislativas.

Tocaron a la puerta de tu estudio y Esteban tú sentiste que la desplegaban con un giro único. Era María Silvia. Tú la viste tan bella y extraordinaria que enmudeciste. Querías que te acompañaran las seguridades del pasado, el idioma común que fundaste junto a ella. Pero estabas estragado, viviendo en la devastación que causó su huida hacía unos meses. Y casi no dijiste nada cuando tomó tus manos y las besó y te dijo perdón y despegó hacia un porvenir en el que ya tú nunca te contarías.

IV.
NO LO DIGA, ESCRÍBALO

Tengo una opinión ínfima de las mudanzas y de quienes se entusiasman con ellas con hábito. Las tengo por un gitanismo inestable y leve. Claro, las personas no escogen precisamente esta levedad. Pueden y de hecho lo hacen forzadas por las circunstancias. Los esotéricos sostienen que hay que mudarse cada siete años y los chinos la tienen presente para maldecir: «Ojalá te mudes este año» proclaman milenariamente a pesar de que me espanta eso de la China milenaria. Especialmente decir la China, en lugar de China a secas. Uno de los sinónimos que utilizamos o utilizábamos en mi país para desnuda, era china. Estaba «china, en pelotas», que expresión tan magnífica y creativa. Cambiar de domicilio no es cosa fácil. Además de fatigante, le da un giro a la vida que nadie sabe a dónde llegará y las consecuencias que traerá. Es el tránsito a la otra calle, a diferentes vecinos, a un distante e ignorado mundo. Es la vista que no conocemos. Pero llega a pesar de nosotros y nuestros prejuicios de agenda y hay que seguir:

buscar la mejor visión y aspirar que hemos dado con el gran angular, el momento Agfachrome perfecto que ya no existe pero que se nos antoja para destacarnos. El mejor vecino es el que no se conoce, decía desde mis cuatro paredes que pudieron sostenerse durante muchos años. En general, jamás me interesé en enterarme del apellido ni las circunstancias de quienes vivían en la calle que habitaba. Todo cambió de pronto. Me tocó arreglar la ida de un modo veloz. María Silvia sacó lo que le interesó y lo demás lo vendió, no a mí sino a gente que ni siquiera había visto, desconocidos, y de cuyos detalles se ocupó un primo de ella, —me gusta desconfiar de los primos diligentes y colaboradores, esos que tienen un sí entusiasta por respuesta— animadamente detestable que comenzaba cualquier frase con un «Estoooo». Otro detalle de infamia que no le soportaba es que decía «amén» con una frecuencia incomprensible, siendo obsequioso con un dios muy personal al que invocaba con prosopeya cursillista. Vino conociendo detalladamente lo que le pertenecía a María Silvia. Se dio el lujo de ni siquiera ver mis pertenencias como si estuvieran en cuarentena. En seguida empecé a llamarlo con la palabra que repetía: Estoooo, y le pareció hasta simpático el detalle. Los cursis nunca se dan cuenta de que lo son. La cursilería es como una enfermedad y vive transversalmente en todas las capas sociales de la sociedad. Es una posición amenazante contra la de los estetas y propina efectos directos y secundarios de un efecto calcinante a la sociedad. Lo cursi adicionalmente trae mala suerte y es cuando se relaciona con la pava. Estoooo se reía con una risa sorda como tosiendo y organizó una venta en lo que dejaba de ser mi casa con la disposición expresa de María Silvia de que no se me vendiese nada. La casa la invadieron unos regateadores que parecían fisgonear algo por debajo de las cosas y en un día se fue todo y el ganapán Estoooo estuvo tan contento que me sugirió que también me podía vender mis cosas. El día estuvo lleno de gente a quien no quiero volver a verle la cara en mi vida. A un mes de la venta llegó el camión de la mudanza hacia mi nuevo hábitat en Los Palos Grandes. Un edificio de Beckhoff al menos. El histerismo rabioso de la junta de condominio en principio parecía agradecerse. Pronto me di cuenta de mi equivocación más allá de celebrar que no se podía realizar ningún tipo de arreglo en la fachada ni nada que cambiase el diseño original del inmueble. El edificio se conservaba como desde el primer día. Hasta daba cierta pena caminar sobre el piso brillante del vestíbulo. La mayoría de los habitantes de un inmueble en la ciudad de Caracas tienen personalidad adánica: aspiran a ser los primeros habitantes en un paraíso terrenal a la medida de sus gustos de fundadores de la raza humana. Desdicen de todo pasado, no miran hacia atrás, cambian cuanto tienen por delante: pisos, cocinas, baños, terrazas, habitaciones, techos, salones, estudios, jardines, cerraduras, puertas, apliques, enchufes, maleteros, pasillos, clósets, gabinetes, gavetas, maleteros, entradas, estares, pantries, con la palabra mágica: la remodelación. Se remodelan a sí mismos en un presente apuradísimo por encontrarse con el futuro. Y al cabo de unos años no tienen paz ni aquel juramento de porvenir porque vuelven a remodelarse. Acepté el apartamento porque seguía como en los sesenta y ni siquiera tuve que pintarlo porque me lo entregaron con los colores recién paleteados. Entrando al apartamento hallé una carta debajo de la puerta del primer día del resto de mis días allí en el edificio:

Estimado Propietario:

En nombre de la Junta de Condominio le damos la más cordial bienvenida a nuestras residencias. El ambiente del edificio es cordial, con una consideración mutua entre sus propietarios y especialmente en lo que atañe a las áreas comunes de la propiedad. Le ofrecemos respeto y rogamos a usted tenga la misma consideración hacia el resto de los vecinos. La basura debe colocarse en bolsas lo más precisamente cerradas y tirarse por el bajante. Agradecemos no incluir ningún tipo de vidrio o cristal, botellas plásticas, cajas de cartón y material reciclable los cuales debe colocar usted en la cámara de la basura en cada uno de los pisos con sus contenedores especialmente dispuestos para tales fines. Si va a escuchar música, le rogamos ajustarla al volumen dirigido a usted con exclusividad. Recuerde que los vecinos no compartimos sus gustos ni sus celebraciones. Esto ha de valer igualmente para la música denominada «académica».

Está totalmente prohibido lavar automóviles o realizar reparaciones mecánicas en el área del estacionamiento. Las mascotas quedan completamente y expresamente excluidas de las áreas comunes. Si usted posee algún tipo de animal canino, le pedimos que éste sea transportado en el ascensor de servicio, debidamente conducido con su arné y su bozal hacia el exterior de la residencia para sus necesidades cumpliendo dicho sea de paso con las regulaciones municipales vigentes en las ordenanzas. Cuando el animal esté «en tránsito», agradecemos la limpieza y pulcritud del mismo. Está rigurosamente prohibido fumar en las áreas comunes del edificio. No estamos al tanto del hecho si usted fuma o no, pero le pedimos que de hacerlo se lo piense porque afecta su salud y la de los demás. Colaboremos con un aire puro, fresco y un ambiente a prueba de enfermedades.

De tener usted invitados en su domicilio, por favor haga saber el nombre de los mismos en nuestra caseta de vigilancia. Recuerde que sin excepción, no se le dará entrada a nadie al edificio ni sus instalaciones sin haber cumplido previamente con esta exigencia. Nuestros jardines son para el disfrute de todos en armónica y compatible coexistencia. No deje ningún tipo de desechos en los mismos. Huelga decir que la proscripción total de fumar se hace extensiva a los jardines. El área de la piscina y el gimnasio exigen un mayor respeto a las normas internas de nuestra comunidad. Evite exhibirse en ropa o atuendos provocativos atentatorios a la moral y a las buenas costumbres. Sabemos que entiende a lo que nos referimos sin mayores precisiones o detalles adicionales. Hemos tenido en el pasado incidentes desagradables con parejas que se han expresado un desbordado afecto y contacto físico muy estrecho en los alrededores de la piscina. Aprovecho para reiterarle que está también restringido el uso de aparatos musicales, estéreos, reproductores de discos compactos, grabadores, tocadiscos y cornetas en estos espacios. Naturalmente queda usted en libertad de usar sus audífonos privados, teniendo en cuenta de que algunos de ellos aun en el uso personal pueden resultar molestos para terceras personas.

El uso del Salón de Fiestas representa un capítulo aparte para el cual hemos desarrollado el «Instructivo de Uso del Salón de Fiestas», el cual ponemos a su entera disposición. Tenemos la versión impresa y digital y faltaría que nos comunicase su preferencia de lectura para la normativa en cuestión. Son varios y diversos puntos que usted podrá leer donde queda plasmada la decisión de los propietarios sobre el cuidadoso uso y utilización de este espacio de todos que incluye adelantar la reserva de su uso con al menos un mes y el depósito de una cantidad de dinero para eventuales daños y la firma de una carta-compromiso por su parte para responder a la responsabilidad de uso.

El pago del condominio se hace dentro de los primeros siete (7) días del mes. Evite el cobro de intereses moratorios. Recuerde que con su pago puntual podemos mantener las áreas comunes de nuestra residencia en el estado de ejemplaridad pública que nos ha hecho una referencia dentro de nuestra urbanización. Por último, su seguridad es la seguridad de todos. No la arriesgue y reporte de inmediato a nuestros guardias encargados cualquier situación o conducta sospechosa en el recinto de nuestra comunidad. Recuerde: es un asunto de y en beneficio de todos. Lo invitamos a asistir a nuestras reuniones de condominio. Si prepara usted algún platillo o un cake con el que quiera colaborar, lo tendremos en gran estima. Por último, si tiene usted alguna sugerencia, «No Lo Diga, Escríbalo». Lo urgimos a involucrarse en las actividades de la junta de condominio. Participe. La participación es construcción de ciudadanía. Si participamos, tenemos derecho a exigir. Le deseamos una vida plácida y feliz en nuestra comunidad y quedamos con usted a su orden y disposición.

La Presidenta de la Junta de Condominio,

Nohemí de García-Pinkerton

Vamos a ver. Los teóricos de la guerra hablan de un método para disuadir un posible movimiento del enemigo: el ataque preventivo. El profesor Michael Walzer lo hace lujosa y prolijamente en su texto sobre guerras justas e injustas. Sí señor, no frunza usted el ceño, si lee usted estas líneas especialmente si forma parte usted de algún grupo de meditación, o si es usted algo muchísimo peor que un vegano, o lo han clasificado en una legión de desadaptados a la que conocen como la generación del milenio cuya utilidad al cuerpo social está en discusión justamente por su completa inutilidad. De modo que le informo que sí puede haber una guerra injusta o una justa. No forma parte de mi propósito actual aclarárselo de modo que le solicito que me cambie la cara y lo guglée. Y como acto de guerra, dar una paliza preventiva puede recordarle al enemigo la superioridad del atacante y es lo que esta señora Pinkerton acaba de realizar. Concretar un ataque preventivo teniéndome como objetivo central: el nuevo propietario para que no dé un paso en falso. Acaba de adelantar la posibilidad de una conducta desviada y atentatoria contra los intereses de su utópica comunidad privada. Me acaba de fichar en su policía particular y me están tomando las huellas dactilares de modo inmediato sus fieles sabuesos. No conozco personalmente a esta señora con apellido de agencia de detectives, cosa que imagino que no sabe. O tal vez que me gustaría que no lo supiera para que privara entre ella y yo una suerte de diferenciación del conocimiento con clara superioridad a mi favor. No creo que sea una lectora de Dashiel Hammett y que la sucursal de San Francisco tenga una alineación con ella. Ni tampoco creo que posea un halcón maltés en su residencia. Es su apellido de casada. Desconozco su apellido original. Claro que el nombre no la ayuda, Nohemí, un nombre pasado de moda, vetusto y de los cincuenta, ciertamente muy secretarial. Es un nombre clásico y antiguo de oficinista así como Gladys o Haydée. Es, no cabe duda, un nombre de alguien que debe manejar a plenitud la taquigrafía, un arte ya perdido en la noche de los tiempos. De allí esa redacción histéricamente de ministerio: un producto estructurado de memorándum intimidatorio, conminatorio, incriminatorio, acusatorio, y sobre todo regulatorio, en el que recurre a uno de los mandamientos de la vieja oficina de archivos, carpetas, ganchos, sacapuntas, abrehuecos, tipex, ligas, engrapadoras, lápices de dos colores, toda aquella narrativa de la modernidad en la que uno de los grandes mandamientos era «no lo diga, escríbalo», pero esta señora que encarna a sí misma un despacho ambulante con redes y dardos paralizantes para dar batida a los réprobos del condominio, en su idea del gran condominio mundial aliado al gran centro mundial del imperio del memo, reafirma su tesis pedagogizante colocando ese «no lo diga, escríbalo» en unas mayúsculas incorrectas, en unas mayúsculas mercenarias, agresivas, elefantiásicas, punzopenetrantes y aniquiladoras para aleccionar al nuevo vecino que ha llegado al templo donde reina como sacerdotisa suprema y aquí en este edificio no consentimos ningún rayón, ¿lo oíste bien, pequeño e insignificante humanoide que te atreves a meter tus narices en nuestra ejemplificante comunidad de buenos ciudadanos respetuosos de las ordenanzas municipales?

¿Cómo describir a madame Pinkerton? No es una persona mayor aunque tampoco es joven: hoy en día alguien de 50 años es una persona joven pero Pinkerton es viuda, y usa mucho maquillaje, y sus perfumes se notan a lo largo del pasillo, los ascensores, el sótano. Pinkerton no es alta y tampoco baja, no es gorda y tampoco delgada. Está en la encrucijada de todo. Tiene una mirada penetrante, aguda, directa, desmanteladora. Pinkerton es altiva, segura de sí misma, habla correctamente, habla muy correctamente pero en sus frases amasadas con lecturas de novelas desechables, hay un tono superior, un tono listo de quien lo ha asegurado todo y carece de imaginación para pedir más. Ha alcanzado lo que buscó y no pierde tiempo en conversaciones que duren más de tres minutos. Tiene un cálculo imperturbable por el número de adjetivos y complementos circunstanciales que puede utilizar en una charla. La conserje le tiembla. Pinkerton cojea de una pierna. Lo hace con mucho disimulo. Lo sabe controlar. Quizás su cojera le es repulsiva y Pinkerton es hábil escondiéndola. Hoy he visto a Estoooo metiéndose en el apartamento de Pinkerton y antes lo vi llegar con Pinkerton en su automóvil, pero esta mañana Pinkerton y Estoooo desayunaban en una panadería cercana y Pinkerton apoyaba su mano sobre el muslo de Estoooo. ¿Significa que Estoooo es abasiófilo? La abasofilia es la «atracción sexual por personas mutiladas, frecuentemente cojas o paralíticas. Tan extraño gusto sexual parece responder a una cuestión de costumbres. Según cuentan algunos expertos, en aquellos sitios donde la polio (causante de muchas cojeras en la población) causó estragos a mediados de siglo, los estudios indican que hay preponderancia de abasiófilos entre aquellos que fueron adolescentes o púberes por aquel entonces».[3] ¿La cojera de

[3] El entrecomillado es del editor y remite al *Diccionario de filias y parafilias* cuya lectura se presenta de inmediato.

Pinkerton es producto de la polio, de un accidente, o de haberse doblado el tobillo? No quiero enterarme. Sería un detalle comprometedor. El hecho es que Estoooo se moviliza en el rango de las parafilias. Abundan los diccionarios que las explican y revelan una enumeración sorprendente y prolija[4]. Pinkerton se sorprendió de que la viera con Estoooo esta mañana. Retiró la mano y me saludó con cierta distancia advirtiendo que no me concedería ni los tres minutos de su vademécum de encuentros súbitos. Yo me refugié en mi croissant de jamón y queso y en la barrera de mi marrón grande con tres bolsitas de azúcar. Al terminar, le estreché la mano a Estoooo y Pinkerton viéndolo sin quitarte la vista, me dijo: «El licenciado Gunz le va a avisar de nuestra próxima reunión de la junta de condominio para que se vaya familiarizando». Evitando mirar directamente a la gorgona, accioné mi kit de defensa vecinal: «Gracias pero estaré ocupado» y busqué la salida sin esperar que me ajusticiara con su mirada aprendida en el manual del *no lo diga, escríbalo*, o me dedicara un instante pedagógico con un aumento de la cuota de los tres minutos.

Escribo desde una ciudad estrepitosa y en rebelión. Estamos como nunca atrapados en la historia. Tengo dificultades en llegar a la universidad como si acaso quisiera estar allí. No me explico cómo consentí volver ante las artimañas con que me persuadió el rector. Hay barricadas por todos lados, marchas contra la tiranía, y los *chukis*, escuderos de una infantería civil y laica para el futuro. En este lado ínfimo pero muy nuestro de la

[4] Recomiendo revisar este delicioso listado de filias y parafilias. https://www.psicoactiva.com/info/filias.htm#K

historia, los estudiantes enfrentan con decoro a la represión, y ostentan unos escudos coloreados, soberbios, admirables con cruces de Santiago, Calatrava, Montesa y Alcántara. Las llevan pintadas en sus protecciones de latón y cartón piedra. David vuelve a enfrentar a Goliat en la siempre asimetría de la paz contra la violencia, del débil contra el poderoso, del candoroso contra el vil, mientras los pobres de mi país que cada vez son más numerosos, desayunan, almuerzan y cenan en los basureros. Pensar que alguna vez estuvimos en la lista de los países de mayor renta per cápita del universo mientras hoy estamos sumergidos en el subsuelo de cualquier medición ecuménica. He estado muchas veces en esas manifestaciones. La última me heló la piel y me hizo temer como nunca me lo han mostrado los textos de historia a los que recurro invocando su autoridad. Debo introducir al tema, para que se comprenda mi sensación, el recuerdo de una imagen. Una fotografía histórica. Es de Robert Capa y es aterradora aunque su consternación se encuentre paradójicamente subrepticia. Es una instantánea tomada en Bilbao en 1937: una madre contempla con horror en mayo de ese año a la aviación que pronto acompañará a la toma de la ciudad. Agarra con fuerza la mano de quien probablemente sea su hija que no comprende lo que pasa en realidad. A su lado, al cruzar la calle quedan detrás suyo personas que también miran hacia el cielo, con asombro, indiferencia y hasta sorna. Nadie atesora el pavor como lo hace esta madre en cuyo rostro se lee la destrucción que se impondrá a pocos pasos de ella. Es una certeza que logra otorgarle un momento previo crítico, que describe el paso de la normalidad hacia lo extraordinario. Es la consciencia de que todo va a cambiar de un momento a otro, que se acerca el fin y que no está en sus manos poder hacer algo para evitarlo. En días pasados, coincidiendo con la mudanza, me agregué a una de las convocatorias de calle. La cita apuntaba a marchar a uno de los ministerios. Había un tremendo ambiente. Miles de personas congregadas y caminando en la autopista. De pronto llegaron las bombas y con ellas la estampida. Y esas miles de personas empezaron a huir conjuntamente. Y miré hacia atrás. Eran personas que estaban allí por los mismos motivos que me condujeron a mí a estar allí. Y de pronto se convirtieron en un peligro para mí por la posibilidad de salir atropellado por la turbación de alguno de ellos. Ese día supe que de un momento a otro, como la bilbaína que descubría en el cielo que se avecindaba la aniquilación, que mis días podían acabar súbitamente por un error. Que una muchedumbre podía aplastarme, asfixiarme, tumbarme, que podía ser el blanco como muchos de uno de esos disparos de los tiranos. Que mi vida se inscribía en el libreto de la historia, que no se decía, que se escribía aunque fuese una historia anónima, impersonal, neutra, incolora o insípida. Que estaba en medio de un conflicto momentáneo que podía estar interesado en mí o en mi no—mí según lograse escapar de esta masa colérica que buscaba un refugio seguro para evadir las lacrimógenas. Corrí, con mis más de cuarenta años a cuestas, como si estuviese en un maratón hecho a la medida de mis sobresaltos. *Libera me, Domine, de morte aeterna in die illa tremenda, quando coeli movendi sunt et terra, dum veneris judicare saeculum per ignem. Tremens factus sum ego et timeo, dum discussio venerit atque ventura ira. Dies illa, dies irae, calamitatis et miseriae, dies illa, dies magna et amara valde. Requiem aeternam dona eis, Domine, et lux perpetua luceat eis.* Anduve más a prisa que nunca. Tuve miedo como en los días en que de niño comenzaba a comprender la oscuridad. Tuve miedo como aquel día cuando mi madre se olvidó de buscarme en el colegio. Tuve miedo como cuando me tocó llamar a la casa de mis abuelos a explicar que yo era un niño solitario en medio de un mundo abandonado y que las puertas del colegio se habían cerrado. Tuve miedo como cuando tuve que insultar por primera vez a alguien en la primaria y empujarlo porque de no haberlo hecho, habría sido yo la víctima por siempre. Tuve miedo como cuando me enamoré o creí enamorarme también en la primaria y tuve miedo porque empecé a conocer el desdén. Tuve miedo como cuando aquella maestra me regañó frente a todos. Tuve miedo como cuando también aquella maestra con nombre de redentor y apellido italiano me dio una bofetada delante de mi clase, y me tomó por sorpresa y me dejo con una pena que a veces todavía siento. Tuve miedo como cuando citaron a mi madre al colegio por haber falsificado su firma. Tuve miedo como cuando despertaba en medio de la noche con la misma pesadilla. Tuve miedo como cuando volví a enamorarme y esa vez fui correspondido. Tuve miedo como cuando bailé pegado, muy pegado, con esa amiga y el corazón me latió desesperadamente. Tuve miedo como cuando me gradué del bachillerato y abandonaba mis espacios de siempre, lo acostumbrado y mis seguridades. Tuve miedo como cuando le escuché las primeras incoherencias mentales a mi padre y supe que comenzaba el largo y desdichado camino hacia su negación y su muerte y que no había vuelta atrás. Tuve miedo como cuando supe que los tiranos inauguraban su era despótica y populista en mi país. Tuve sin embargo un miedo que me protegió y logró que supiera cómo no caer en el pánico y seguir camino hacia donde me dirigía. Y ya en mi casa, en mi casa a la que no me acostumbraba, abrí con taquicardia la puerta y fui hasta el prepostmoderno equipo de música y coloqué a todo volumen el réquiem de Fauré y me importaban un bledo todas las estúpidas instrucciones de la coja de madame Pinkerton, y saqué de los anaqueles el libro con la fotografía de Capa y lo abrí precisamente en la página 115 para buscar en los ojos de aquella bilbaína de mayo de 1937 eternizada en la eternidad que me concediera lo que veía por los lados del cielo. Y volví a revisarle la mano firme, el rostro desentendido de la niña, las diversas posturas de los parroquianos del lado de la acera y me pregunté por todos. ¿Qué sería de sus vidas? ¿En qué bando estaban? ¿A qué tipo de vida habrían apostado o a qué tipo de vida fueron empujados? ¿Lograrían sobrevivir a la tragedia de su guerra civil? ¿Qué sería de la vida de aquella niña? ¿Qué habrá pensado aquella pequeña si es que alguna vez se vio o se reconoció en esa fotografía famosa que cuelga como un trofeo hoy en los museos? Hoy tal vez será un montón de huesos o una anciana venerable que les cuenta a sus nietos que ella era la de la foto y que aquel día su madre tuvo el inicio de la peor parte de su vida, pero que la existencia es para labrar caminos y fijar destinos. El mismo Capa cayó años después por una mina en Vietnam luego de haber salvado el pellejo de casi todos los frentes de guerra. Permanecí anclado en esa calle de 1937 en que todo se advertía. Me domicilié en esa calle de Bilbao como si yo mismo fuese Capa y les estuviese tomando una fotografía que consultaría años después. ¿Tendría Capa consciencia de todas las miradas que registró o las vería simplemente como una gran mirada universal? Y me quedé mirándolas por más de una hora, implorando contestaciones, hasta que sentí que deslizaban algo por debajo de mi puerta. Y alcancé a ver que me habían dejado un sobre blanco, blanquecino, blanquísimo en medio de este súbito desconcierto.

V.
NO HAY QUINTO MALO

Hola.

La verdad es que no sé por qué te escribo. Después de aquel viaje relámpago a Caracas para terminar de sepultarlo todo, pensé de repente que las cosas habían acabado de una forma un tanto ruda. Aunque me importa un pito si se acabaron rudas o qué. Lo bueno es que finalizaron y ahora no tengo, sí es cierto, que el más mínimo motivo para volver a pensar en ese expaís, y cómo están las cosas por allá, menos que menos. No me importa admitir que te escribo porque estoy sola. Estar no es lo mismo que ser. En esta hora del tiempo estoy sola pero soy la mujer más feliz del mundo con ese solo problema de estar, que es momentáneo. No tengo a quién contárselo. En el instante que me rodea carezco de compañía a quien comunicarle que estoy exultante en la nueva vida que recorro. Cuando nos pasa algo no nos basta con sentirlo. Tenemos la necesidad de compartirlo. Por eso nunca me he podido explicar cómo se puede ser feliz en silencio, sin manifestarlo, sin decírselo a nadie. ¿Tú crees que una monja de clausura, Dios me libre, o un eremita tibetano de los que dicen entender la vida por la dirección que sigue el viento o por la copiosidad de la lluvia, no sé, se me ocurre eso, pueden realmente acompañarse internamente tanto a sí mismos que no requieren de más nadie? No me convence, lo siento muchísimo. Las cosas se hicieron para vivirlas con la gente. A mí me encanta y me fascina la gente. Y también sucede que no es lo mismo contarle a alguien cualquiera lo que se te pasa por la mente a referírselo a una persona que va a entender tu situación porque se sabe de memoria totalmente tus circunstancias y cada uno de tus detalles en la vida. Muchas veces tenemos una necesidad no sólo de relatar sino de demostrar. Demostrar implica enseñar pero con mucho más resolución y método. Demostrar significa probar, resolver, exponer, desentrañar, solucionar pero sobre todo, que se lleve a cabo de una forma notoria, a la vista de todos y públicamente. Mi papi decía que mi abuelo había multiplicado su fortuna, y luego se había empeñado en ser Individuo de Número de la Academia de Ciencias Políticas, con una obra jurídica reconocida para demostrarle y casi que echarle en cara sus logros a los intratables valencianos con quienes se crió y creció. Todo esto es un tanto complejo y como estoy súper relajada, te lo sigo diciendo a ti para demostrarte y quizás también para echarte en cara que desde que nos separamos, ha pasado un tiempo gigante me da la impresión, mi vida ha mejorado en una forma que ni yo misma me imaginé que sería tan maravillosa. Claro, que me lo debo a mí: tú no tuviste nada que ver, tú eras el obstáculo, el pasado, el escollo, lo obsoleto, la dificultad. Pero a pesar de ti mismo debo contarte cómo me siento sin ti, cómo he salido de la oscuridad-Tú-país-pasado hasta llegar a Claridad-Yo-Mundo. Supongo que lo entiendes y no requieres de explicaciones adicionales. Mi situación de hoy la baso, o baso su disfrute en que tú lo sepas. Que te quede claro que no es una venganza hacia ti o hacia oscuridad-Tú-país-pasado. Te lo repito, tengo la necesidad de echártelo en cara. Te pinto en el rostro lo que dejaste de ser. Fíjate que en la trilogía lo único que sigo poniendo en mayúsculas eres Tú, bueno algún respeto te tiene que quedar. Después de todo, pasamos algunos años juntos, de los cuales no me arrepiento, lo reconozco, pero que ya llegaban a un final. Ni te imaginas dónde estoy. ¿Quieres que te lo diga? No te lo voy a soltar de una. Ya te mencioné que estoy relajada y este email puedo seguirlo escribiendo hasta que me provoque sin estrés. Estoy descalza en un parque y hoy hace un sol radiante. No como en aquel banco gélido de la estación de Austerlitz de hace algunos meses. Hoy hay una atmósfera de festival, de gente risueña, de día para comenzar la fundación de un propósito. Me he traído la cámara y ando en una de retratos al natural. People of the World, podría llamarse mi próxima exposición compaginada con lo que te mencionaba de Claridad-Yo-Mundo. O ¿Happy People of the World? ¿Qué te parece? Yo preguntándote, imagínate. En el sitio donde me encuentro, hasta ahora para ti un parque cualquiera en el mundo, un sitio que no conoces by the way y tampoco pegas con él, hay una energía muy especial que no estoy segura de que entenderías. Ese no es el problema. El rollo no es tu entendimiento sino mi conexión. Mis chacras en armonía hacia el cosmos y mi destino Tierra. Mi relación alfa no mediatizada con el entorno sino fluida, sincera, incluso hasta estremecedora. Este es un parque de buenas vibras, sus usuarios parten del místico reconocimiento de lo positivo, hay una solidaridad no declarada pero que está. Por aquí supongo que pasó muchas veces Janis Joplin dirigiéndose a su casa de Haight-Ashbury, o Jimmy Hendrix, aquí se han hecho conciertos, danzas aztecas, ceremonias holísticas, matrimonios, declaraciones de amor. Aquí me gustaría casarme de nuevo si es el caso. En medio de esta libertad total en que no existen esos imbéciles convencionalismos sociales de esa anticiudad llamada Caracas con sus incultos insensibles y materialistas. Estoy en Dolores Park en San Francisco. He venido a visitar a una amiga californiana. Bueno, en realidad eso no es tu problema a quién vine o no a visitar. ¿Cierto? Es una amiga mía que no conoces. A pesar de que estuvimos casados, tú no estás enterado de muchas realidades mías. Secretos que guardo y que te harían sonrojar, quizás avergonzarte, deplorar de mí, insultarme y hasta ultrajarme en tu pensamiento de muy buenos y acartonados modales. Un día de estos te los cuento para sepas con quien compartiste una vida que ya no es. Mi amiga vive en el barrio gay aunque no es gay. Aquí en San Francisco te dicen que «si tienes problemas con el matrimonio gay, no te cases con un gay». Jejeje. ¿Tú qué opinas de eso? Esta ciudad, este estado, es un modo de vida. Están a mil años luz de las pacaterías de gente como tú. Tú me llevabas 13 años y yo te seguí. Hice una vida contigo. Ahora me doy cuenta de que tú no me llevabas ningunos 13 años. Tú me llevabas como cuatro siglos. Tú eras un individuo del barroco, con un idioma culterano, incomprensible, retorcido, perdido en tus adjetivos gongorianos, en tus guiños calderonianos desconectados de la realidad. Tú estabas extraviado en tu idioma antiguo, en tu insultante siglo de oro personal desde el que despreciabas en secreto a los demás. Estando aquí me parece que vengo del futuro, de una tierra prometida al alcance de pocos, no porque yo sea especial, que a lo mejor lo soy pero no en la desafortunada acepción de la egolatría de los vanidosos, sino porque comprendo a los demás, me hermano con los demás, me solidarizo con todo, con la familia de mis hermanos de la Tierra, me pongo en el lugar de los demás, no dejo que los prejuicios me dominen. No ando prejuzgando ni muchísimo menos juzgando a nadie. Dejo que la gente sea. Me gusta y disfruto tolerando a cada una de las personas. Todos en este mundo somos valiosos, cada uno de nosotros vino al mundo con una misión y de todos queda un aprendizaje. Esa misión es súper respetable. No hay misiones más importantes que otras. Ninguna puede estar por encima. Eso quiere decir que nadie importa más que otro. Nadie además tiene el privilegio moral de sentir una elevación por encima de su prójimo. Todo hombre es noble y es un protagonista y es un vencedor de su tiempo. Nacer le otorga esa noción hermosa de que su paso por el mundo lo hace necesario e imprescindible. Me da lo mismo que seas banquero a que seas guardaparques. Siento más respeto por un guía de museos que por eso tan deleznable que llaman un inversionista, a pesar de la igualdad que te acabo de defender. Y lo digo en nombre de la prepotencia que exhiben algunos para humillar a sus congéneres. La gente se conoce viendo cómo trata a los que tiene por debajo, no por el modo de tratar a sus iguales. Detesto a los inversionistas: son buitres con zapatos Ferragamo y relojes Hublot. No le hacen falta a la humanidad. Siento una incuestionable empatía hacia un apicultor antes de que por un analista de riesgo financiero. Los primeros viven en sintonía plena con el ecosistema mientras que los segundos son enemigos de la sociedad. Los segundos son los que le comunican a la joven pareja que viene al banco, embarazo de por medio, que el crédito no se aprobó y se les ejecutará la primera hipoteca con hilo musical de fondo. Me puedo arrodillar de admiración y éxtasis ante esos voluntarios que van a leerle novelas a los ancianos antes de poner mis pies en el vestíbulo de una de esas transnacionales del capitalismo salvaje que están secando los ríos, deshelando los polos y calentando el planeta. Esa sensación de estar en el lado ético de la civilización te la da sentarte en este parque formando parte de la gran familia universal o la confraternidad ecuménica que de verdad percibo. Esto que te digo no es una visión retroactiva de la juventud que me acosa. Además, alguien de casi 36 años no puede ser considerada ninguna vieja, pero lo que te quiero decir es que esto que me recorre las venas y las arterias no es un erizamiento de piel de los dieciocho años que regresaron a mí. A lo mejor me veo en números duplicados: quizá no tengo casi 36 años sino dos veces 18 años, como dos gemelas que se reconocen y distinguen tanto que se van mirando y recorriendo la formación de sus cuerpos fijándose en cada una de las heridas de guerra que les ha dejado la vida. En esta etapa de liberación completa de lo que fui y ahora soy, en mi proclama personalísima e intransferible de mi emancipación definitiva soy capaz precisamente de entrar con seguridad en el nuevo ciclo -recuerdo que siempre hablábamos de los ciclos y la incapacidad que tienen algunos para darse cuenta de que han llegado- porque no me oculto mis defectos y porque confirmo la sombra que me acompaña sin que empañe mi recorrido. Por eso algún día te contaré, como te amenacé, cosas de mí que ni te pasan por tu cerebro hiperracionalista, puntual y cuadriculado. ¿Te llamaría la atención enterarte? ¿Te gustaría penetrar entre lo que he sido capaz incluso contigo a tu lado? ¿Se te aceleran las pulsaciones de imaginarme? Tengo un morbo cardiológico por empujarte hasta los detalles. Esos pormenores donde crepitan nuestros instintos más irracionales y fogosos. El gran cuento es considerado como tal por las aristas que tiene, por sus atajos, por sus esquinas, por el modo como trepa hasta un picacho y luego desciende, por la forma en que se nos corta la respiración invocándolo y cómo es capaz de hacernos temblar, temer, sudar y emocionarnos. Por eso es que el arte de la conversación es un arte, por esos detalles que quisiéramos guardar incólumes sin que puedan envejecer, sin que el tiempo se acerque a corromperlos. A veces añoro cómo dialogábamos. Quizá por eso aun te escribo aunque haya desmantelado pieza por pieza la importancia que tenías para mi vida. Posiblemente hayan sobrevivido algunos detalles. ¿Tú qué dices?

En esta mañana fundacional y radiante se ve con toda naturalidad a los vendedores de marihuana. La ofrecen en todas las formas: ya liada, en brownies, en gomitas, al detal. Todas las opciones de este producto completamente natural y hasta terapeútico que la sociedad global ha redescubierto enterrando los prejuicios de la culpa como punto de partida para la criminalización colectiva. Es un ensayo de regreso al romanticismo, a la Pachamama, a la madre tierra y sus productos. Los vendedores de tabaco estuvieron ofreciendo durante años el veneno paulatino del cigarrillo mientras la ley perseguía al cannabis, algo inalterado de la madre tierra. En esta ciudad y en este estado se impone la cultura verde, el homenaje a lo orgánico. Les he tomado fotos a los vendedores. Beautiful People of the World. Me provoca volver a leer a Carlos Castañeda a quien tú siempre odiaste por prejuiciado y desmagnetizado. Tú por supuesto, no él. Es que en ti vive un fascista defensor de la hipocresía social. La consciencia de los sesenta, en que el mundo volvió a nacer, continúa viva en este territorio. La búsqueda de abolir la autoridad y conseguir un respaldo afectivo de realización personal con la estirpe humana no es un cuento iluminado en esta parte del orbe. No es fácil. ¿Qué lo es? Vivimos una sociedad tan desigual que con frecuencia me pregunto, qué pudimos hacer de aquel lado atropellado del hemisferio para merecer tanta patraña y estar condenados a ser los parias de la humanidad en un país de menesterosos y los corruptos más corruptos de todos los corruptos del universo. En esa inmoralidad de nación carece de todo sentido vivir. Parece que cobra sentido en ese tierrero desviado la frase de André Comte-Sponville que «nos levantamos por la mañana y no hay alegría, y sabemos que no va a haberla». Por eso estoy aquí, lejos, muy lejos, cada vez más lejos y no volveré nunca más. Me he impuesto ir al futuro donde termina todo pero no ir de vuelta al pasado donde también termina todo pero más rápido. Por eso es que me salí de allá. No me gusta estar en un sitio que carece de porvenir y donde el futuro se redireccionó hacia el pasado, pero un pasado oscuro y cruel.

Siempre pensábamos en el futuro. El pasado estaba lleno de futuro, era la plenitud del futuro, su cátedra, su universidad, su preparación. Nunca fue más cautivador que en aquel tiempo. Pero como señala la frase que todos toman por un juego y no lo es: el futuro ya no es lo que era antes. El futuro se planifica en los países sensatos. Para la irracionalidad del nuestro quedan sólo los horóscopos y los insulsos politólogos equivocados que conversan indistintamente de escenarios. El futuro era una mezcla de muchos caminos que convergían. De niños pensábamos en androides que por supuesto que llegarán, en planetas habitados, en la velocidad de la luz y en los viajes a través del tiempo. Había, sin embargo, la amenaza posible de alguna distopía. En aquella modernidad, no podíamos sacar la cuenta de que todo nos saldría tan mal. Me refiero al pedacito de país en que nacimos. Las cosas prometían tanto y ya ves que en lugar de futuro viajamos al pasado pero nunca al que tuvimos, que era grato y sensacional. Viajamos al no tiempo en el que siempre estaríamos detenidos sin poder avanzar. Aquel disparatado territorio en el que habitas pasó a ser por definición una dolorosa ucronía más que la famosa discronía con que algunos profesores suavizan el fracaso más absoluto de país en la historia. Por eso estoy aquí en la distancia cautelosa previendo toda posibilidad a volver a quedarme atrapada en lo intemporal.

¿Estás más gordo? Como que más repuesto. Esas son las preguntas que te hacen allá porque se supone que el único legado que tienen las personas es la dimensión de sus barrigas. No en balde nuestro país ha batido record de operaciones estéticas, implantes mamarios, nalgas postizas, inyecciones de bótox, rinoplastias, labios hinchados que se convierten en culitos y demás intervenciones quirúrgicas para que asumamos colectiva y patrióticamente que somos la república de la belleza y sus concursos mundiales donde mostramos con orgullo tetas y glúteos de consultorio. Allá (siempre será allá, lo siento. He decidido que lo mío no tiene retorno. En París tiré mis documentos venezolanos al Sena. No tuve ni siquiera el placer de ver cómo se hundían y desaparecían de mi vista) nunca nadie te dirá: oye, te noto más inteligente últimamente, parece que hubieses obtenido unas destrezas adicionales a las que tienes. Ni tampoco: mira, tienes recientemente una seguridad mayor en tus juicios, o: da la impresión de que has desarrollado un conocimiento admirable por la pintura cubista, me regocija que tu investigación sobre el mundo de las abejas sea tan completo, da gusto escuchar a una persona opinando con tanta propiedad sobre la estética en los puentes contemporáneos. Nada de eso roza siquiera los oídos de nuestros encuentros con terceros. Los tiranos le han dado conversación a nuestro país en los últimos años. Debo dejar de mencionar ese «nuestro». Ya no forma parte de mis posesiones ni mis haberes. Que traicionero es el lenguaje y de qué modo nos hace devolvernos y caer en la contradicción. La tiranía se alojó en los chats sustituyendo al tema de las mujeres de servicio, Miami, la plata, los carros, qué teléfono celular es mejor o en caso de una inalcanzable elevación intelectual, la Champions y el duelo eterno entre el Real Madrid y el Barça. Ultimadamente todo termina reduciéndose a la imagen de tu cuerpo y a los rollos acantonados en tu cintura. No me animo a seguir naufragando en el lugar común o en la basura común. Me niego. Esta es quizá la quinta decisión más importante de mi vida. No hay quinto malo. Quiero que al sitio donde me dirijo pueda recomponer lo que perdí allá. ¿Has escuchado hablar de Liberland? Te instruyo. Hasta la próxima.

María Silvia

A continuación, la información aparecida en el diario venezolano El Nacional el 13 de agosto de 2015 a las 6:35 pm y actualizada el 09 de diciembre de 2016 a las 13:10 pm[5]:

«Puede convertirse en el país más joven del mundo: Liberland, fundado en abril este año en seis kilómetros cuadrados de tierra de nadie entre Croacia y Serbia, en la mitad de Europa. Es un sueño de toda la vida del político checo de 31 años Vit Jedlicka. 'Quería fundar un país distinto: donde se vivieran todas las libertades, fuera del alcance de las fuerzas políticas y que existe en otras partes del mundo como Singapur o Hong Kong, pero no en el centro de Europa', le dijo Vit Jedlicka a BBC Mundo. Entonces se puso a buscar un sitio adecuado. Y lo encontró en la antigua Yugoslavia, despedazada en los años 90 por un conflicto feroz que le dio luz de nuevo a las antiguas repúblicas que allí coexistían. Sin embargo, después de la separación de los países y respectiva repartición de tierra quedaron seis kilómetros cuadrados que nadie reclamó. Están situados en la frontera entre Serbia y Croacia —dos de los seis países que quedaron tras la disolución—, pero no dentro de sus territorios. Tampoco en el de la vecina Hungría. Entonces bajo el precepto de 'terra nullius' (tierra de nadie), en ese pequeño espacio de mundo Vit Jedlicka fundó el pasado 13 de abril la República de Liberland. Eligió la fecha fundacional en honor al natalicio de Thomas Jefferson, uno de los padres de la patria estadounidense.

[5] (http://www.el—nacional.com/noticias/historico/hombre—que—fundo—liberland—pais—tierra—nadie—centro—europa_44759)

»Fue un acto similar a la llegada al hombre a la Luna: ese día, Jedlicka, en compañía de su novia Jana Markovieva y un compañero del colegio, transportó una bandera hasta la mitad de ese terreno de nadie y la clavó hondo. La bandera de Liberland fue clavada en su territorio el pasado 13 de abril. 'El país se enorgullece de otorgar libertad personal y económica a sus ciudadanos, garantizada en la Constitución, que limita el poder de los políticos que no pueden interferir en las libertades otorgadas por la nación de Liberland', se puede leer en su página de internet en su declaración fundacional. Y allí también se da cuenta de los símbolos patrios, casi como los de los países que ya están reconocidos por Naciones Unidas: su bandera, su escudo bien explicado y solo falta el himno, que han reemplazado temporalmente con un lema: 'vive y deja vivir'.

»Dos años tras la tierra prometida.

»Pero, ¿qué llevó a un político checo a crear un país en los terrenos sin dueño de la antigua Yugoslavia? De acuerdo al relato que le hizo al diario New York Times, la idea venía rondando la cabeza del checo desde hace dos años, cuando se dio cuenta que podía fundar un país bajo el precepto de la 'terra nullius'. Sólo le hacía falta el sitio. Vit Jedlicka quería crear un país donde los partidos políticos y el Estado no tuvieran tanto control sobre las libertades personales. Buscando en internet y consultando a varios gobiernos, logró establecer distintas zonas en el planeta que no eran reclamadas por ningún país. 'Había un terreno cerca de Egipto, pero me parecía que la inestabilidad política en la región no ayudaba mucho a nuestra idea de país', recordó Jedlicka a BBC Mundo. Poco después esa zona se convertiría en el reino de Sudán del Norte, y su soberano es el estadounidense Jeremiah Heaton, quien movió cielo y tierra para que su hija fuera una princesa. Pero Jedlicka no se amilanó y entonces halló ese pedazo de suelo extraviado a la orilla del Danubio. 'El gobierno serbio dijo que esa zona no les pertenecía, lo mismo que Croacia. Así que decidimos que ese sería el territorio de Liberland', explicó.

»Los problemas con los vecinos:

»Jedlicka cumplió con los requisitos para fundar un país. Reclamó la posesión de la tierra, enclavó una bandera y formó un gobierno: fue elegido presidente con los votos de su pareja y el amigo de infancia que lo había acompañado en el viaje. Hasta ahora, en la página de internet de Liberland han ingresado 360.000 solicitudes de ciudadanía para el nuevo país. Pero sus nuevos vecinos no se pusieron tan contentos: el gobierno de Croacia calificó la fundación de Liberland como un 'chiste' y Serbia afirmó que lo que había hecho Jedlicka era un 'acto de frivolidad'. 'Una cosa es lo que dicen, otra es lo que hacen. Estamos en un intenso diálogo con ellos para que reconozcan nuestro reclamo', dijo el flamante mandatario con país propio. 'Por ejemplo, Croacia ya dispuso en los límites con Liberland una serie de efectivos de la policía para que nadie pase desde su país hacia nuestro territorio', añadió. Su aspiración no se concentra en los alrededores. Desde hace un mes lanzó una fuerte campaña diplomática para que Liberland sea reconocido como un nuevo país. Liberland está ubicado en la frontera entre Serbia y Croacia. 'Hemos tenido diálogo con al menos

20 países que están dispuestos a reconocer nuestra soberanía. Pero tenemos que crear una logística propia de un Estado', dijo desde su oficina en República Checa.

»CIUDADANÍA:

»Uno de los asuntos fundamentales de una nación es su pueblo. Por esa razón, los tres 'liberlandianos' iniciaron en su página de internet y de Facebook una fuerte campaña para que la gente se haga ciudadano de Liberland. 'Hasta ahora hemos recibido 360.000 solicitudes de personas que quieren ser parte del nuevo país. También de muchos voluntarios que quieren venir a construir las primeras edificaciones', dijo. Los riesgos en la formación de una ciudadanía también están latentes: con la amenaza de grupos insurgentes islamistas en Europa, expertos de seguridad alertan que un nuevo territorio en el corazón del continente, organizado al margen de muchas reglas de la UE, sería un lugar ideal para ejecutar un plan de ataque. 'Vamos a realizar un cuidadoso proceso de otorgamiento de la ciudadanía a las personas que han postulado a través de nuestra página de internet. Esperamos dar nuestras primeras 100 ciudadanías próximamente, después de que los solicitantes cumplan todos los requisitos', sentenció. A pesar de que su fundador ha enviado las solicitudes a distintos países como Estados Unidos, Francia y Japón, inclusive a Naciones Unidas, solo el reino de Sudán del Norte ha reconocido a Liberland como un país.

»IMPUESTOS VOLUNTARIOS:

»Pero, ¿qué hace diferente a una nación como Liberland, al menos en los papeles? Todo está basado en su lema: 'vive y deja vivir'. 'Vamos a aplicar un sistema de impuestos voluntario. Las personas van a pagar lo que crean que deben pagarle al Estado de acuerdo a los servicios que provee'. Además, en su constitución, Liberland contempla que la propiedad privada y los derechos individuales están por encima del Estado, algo que Jedlicka viene proclamando hace cinco años en su partido político en la República Checa. La isla Libertad es considerada por el presidente del país como el mejor lugar del nuevo país. 'Es como una playa del Caribe'. Hasta ahora ha recibido la intención de inversiones cercanas a los US$20 millones de distintos ámbitos, como la banca y el sector energético. Por ahora Liberland es un territorio inexplorado con una bandera sobre él, con muchos proyectos en el futuro. Sin embargo, su presidente ya tiene un lugar favorito de su patria naciente: una isla de río en medio de sus seis kilómetros cuadrados. 'Se llama Libertad, una isla de arena en la mitad del Danubio que se parece mucho a las playas en el Caribe», concluyó».

VI.
DECONSTRUYENDO A JACOB BURCKHARDT

El sobre era clásico, elegante, de hilo fino, similar a los que se utilizan para las invitaciones de las bodas o las grandes ocasiones de monograma. Sin caer en el derroche que puede exhibir un papel, aquello era justo, sobrio con una austeridad disimulada. Como esos conjuntos emocionantes que califican el buen gusto: una mesa impecablemente servida por ejemplo. En ese sobre residía una estética definida por el equilibrio. Afuera estaban las iniciales de mi nombre: E. C. G. acompañadas de un E.S.M., Esteban Caledonia Garcés y directamente «en sus manos» con una caligrafía de imperio. Carecía de remitente y traía una exhalación lejana de perfume. Esto tenía que ser obra femenina, porque los jazmines convocados desde lo remoto venían de aquellos campos de Francia donde una niña virgen arranca de madrugada los pétalos. Antes del amanecer, con la compañía de la brisa rocosa de Grasse, en el país del cordero y de la cruz, la doncella recorre descalza los sembradíos con sus pies provenzales que bendicen el suelo. Con ella han viajado hasta estos lados de Caracas los mirtos y las lavandas, la flor de azahar y la rosa de Francia. Sostuve el sobre respirándolo con los ojos contenidos antes de abrirlo. ¿De qué se trataba esto? Puede ser que tuviese las manos olorosas al introducir la hoja en el sobre. ¿O aromatizó el papel? Aromatizar es un verbo más propio de un spot comercial o del párrafo cosificado de un gerente de mercadeo. Ya se sabe y lo repito y lo seguiré machacando: detesto la sabihondez de los gerentes de mercadeo. Nunca dejaré de importunarlos. Estaba ante mi *Profumo di donna*, sin tango ni Agostina Belli y muchísimo menos yo haciendo de Vittorio Gassman. ¿Esas costumbres decimonónicas persistirán en el siglo XXI o esto es un naufragio superviviente del pasado, una ventajosa ilusión para quebrar el tiempo que vivimos? No era pesado ni liviano, contenía dos folios escritos en la computadora e impresos en una de esas máquinas que no sobreviven a la muerte de su propio cartucho de tinta. Basta comprar un cacharro desechable de esos y cuando se estropee se le transportará al concesionario autorizado de la marca transnacional que ostenta para que a uno le sugieran muy corporativamente que adquiera otra, eso sí, y que más avanzada. Porque ahora los avances duran un mes y se estiman de una sola vez hasta el próximo avance. Venían impresos curiosamente con la letra Bell MT, punto 14, mi preferida. No todos utilizan ese tipo de letra. Además de la Bell MT, últimamente me ha dado por la Californian FB, pero es una coincidencia que aparezcan mis preferencias aunque sean camufladas en un tipo de letra.

Hola Esteban,

Debe ser rarísimo recibir una carta de una desconocida. Total. Y no saber ni el porqué ni la motivación aunque con imaginación todo se termina deduciendo.

¿Te consideras tú un deductor, Esteban? Esteban, el deductor. Yo bastante que sé de ti, tu nombre, tu dirección, hace dos años estuve en un foro que organizaste. Me senté de primerita, cruzando mis piernas y estuviste viéndome todo el tiempo y yo te estuve esquivando tu mirada puyoncita. Eres un mirón Esteban, un mironcito. Ahora soy yo la que te está observando pero tú no sabes quién soy y tal vez ni siquiera sepas cómo esquivarme. El día que me veas, si es que acaso eso sucede alguna vez, quizás reconozcas alguna familiaridad en caso de que seas eso que llaman un fisonomista. Pero no creo, a pesar de que he coincidido contigo en alguna fiesta, en un coctel, pero no hemos hablado. Yo te he pasado al lado solo para sentir que conozco muchísimo de ti y tú, nothing baby. Lo más probable es que no tengas presente esa familiaridad. No creas, no necesariamente. El olvido es un modo de llegarle a la felicidad. En cambio, tengo el registro de quién eres, cómo eres, tus gustos, lo que publicas, lo que probablemente pienses y hasta tu condición de separado (¿divorciado, maleteado?). Te sigo en Twitter, en Linkedin, no tienes Instagram ni Facebook. Cada frase que publicas te delata y sobre todo te condena. Todo lo que decimos queda pendiente sobre nosotros. Esos ciento cuarenta caracteres te fijan para siempre en un corcho imaginario donde quien quiera te puede observar sin más restricción que su intención, mi amigo deductor. Y si alguien junta todos esos tuits para examinarlos, se hace muy fácil anticiparse a lo que piensa alguien. Los detectives de hoy se forman en las redes sociales y un hacker se gradúa con un curso en tiempo real. Basta una temporada en Google y todo aparece como por arte de magia. Google es un espejo, te asomas a él para localizar tus entradas. ¿Cuánta relevancia tienes en el mundo mi deductor? Las veces que aparezcas en la red. Si no apareces no eres nadie. Si no hay imágenes tuyas, no eres nadie. El mundo digital tiene su modo de ser y el problema es llegar a él con un comportamiento analógico. En el mundo digital hay que tener una personalidad digital, prospecto de Snapchat. ¿Tú eres analógico o digital? Me gustaría verte esta vez la cara leyendo esta carta. ¿A qué hueles ahora? ¿Qué colonia llevas puesta? A mí me mueven los hombres que huelen a buenas colonias, las clásicas, no me gustan las nuevas ni esas que el olor se te queda pegado en las manos. Fíjate que tienes poco tiempo mudado y hasta me he podido dar el lujo de deslizar este sobre por debajo de la puerta de tu apartamento. ¿Qué cómo lo hice? Nunca te lo diré. Peor es Linkedin, allí sus miembros dejan casi que un GPS los transporte directamente frente a sus narices. Ya no existen coincidencias sino direcciones. Hay una superioridad que te da esto de amontonar las piezas de un perfil. Me conozco de memoria frases tuyas. Tengo una colección de mis favoritas: a veces me las apropio y las repito como mías. Nada mejor y más placentero que un plagio de pequeñas ideas que nunca nadie te va a investigar. No tengo ni la edad de tus alumnas ni la tuya muchísimo menos. Estoy equidistante, en el justo medio como una gata que mide los saltos que la alejan o acercan a su presa. ¿Tú eres mi botín o mi premio? No te confundas ni te entre miedo: no soy ninguna psicópata que te va a amarrar a la cama y luego te va a clavar un punzón en medio del pecho que guarda bajo la cama. Esas escenas sólo suceden entre Los Ángeles y Malibú con guión de un amante de los afilados, los autos descapotables y los Cosmopolitan preparados en los bares que visitan los solitarios. Y entre esas casas de celebridades a la orilla del mar donde siempre ocurre un homicidio. Yo lo que soy es atrevida, a lo mejor zumbada. Claro, que si tú crees que a pesar de esta carta, lo que quiero es encamarme contigo, no te aconsejo tanta seguridad. Porque te puedes equivocar fatalmente. El sexo es una alcabala donde te registran y a lo mejor hasta tú registras también pero no puede ser el fin último de un diálogo. Nos registramos y nos ponemos en evidencia pero puede ser por una sola ocasión que puede ser fatal. El sexo por el sexo es como entrar a un museo con anteojos de cristales deformes y no reconocer los cuadros que te rodean sino lo más inmediato y con dificultad. ¿Qué podría ver un ciego ante la *Ronda nocturna* de Rembrandt van Rijn? ¿Qué describen los ciegos frente al elefante? Yo quiero conocerte directamente pero eso no va a ser fácil para ti. Tengo que ponerte a prueba. Harás para mí lo que yo te pida. Como lo escuchas, Esteban: lo que te ordene. Por supuesto que puedes tomar esta carta y echarla al cesto de la basura, despacharla directamente al camión donde finalizan los desechos, y aquí no ha pasado nada y toda posibilidad de solicitarte algo queda anulada de inmediato. No te escribiré de nuevo. Te lo aseguro. Pero si decides jugar, tendrás que completar la partida. Y moverte según mi estilo. Me produce un placer íntimo, casi erótico, ver cómo cruzarás de un lado a otro según mi indicación. Esta diversión me la inventé yo y si te gusta, dale. Si no, espero que te vaya bien en tu destino y ya, chao. Y al final estaré yo con lo cual tampoco queda nada ni sellado ni asegurado porque es posible que el día que finalmente nos conozcamos, te repito –si es que eso sucede– nos repelamos mutuamente y sea un encuentro desagradable y tosco. Algo me dice que a lo mejor no será así. La intuición femenina, ese fastidiosito tema del sexto sentido pero es que nunca ha dejado de ser verdad. Pero te la tienes que jurar. No puedes salirte de mi libreto sino cumplirlo paso a paso. Será todo muy lúdico. No pienses que tendrás que tocar tres veces una puerta a las 2 de la madrugada e ingresar a un local clandestino neo punk y rasurarle el cabello puntiagudo a un luchador tatuado. No subirás al pico Oriental ni hurgarás las carpetas en la casa de un banquero. No se trata de los trabajos de Hércules ni de bajar al Hades. Estamos ensayando a ser creativos y el azar viene en estos párrafos, claro que dependiendo de si quieres encontrártelo. Mi nombre tendrás que averiguarlo: es parte de todo. Tendrás que probar tu ingenio, empeñar tu sagacidad, conseguir escalar en el tablero y vencer. Vas a tener que triunfar con todo lo devaluada que está esa palabra y que este mundo no sabe a ciencia cierta su significado. Para llegar hasta mí atravesarás algunos libros y descifrarás sus secretos. En la medida en que respondas como quiero que lo hagas, pasarás al próximo reto hasta que decida el momento en que podamos concluir. Una vez leí una frase tuya que me fascinó: «Me gusta pensar cómo burlo tus cerraduras y llego al domicilio que inscribes bajo juramento en tu piel». Esa frase me ha traído finalmente hasta ti en la medida que también lo posibilites. Tengo las llaves que abren tus cerraduras. Te invito a que busques las mías.

He decidido que la primera prueba será en la universidad donde das clases. No te preocupes, no tendrás que escalar de noche a la oficina del rector a sustraer un sello ni ser conducido a un sótano desolado donde sacrificarás una gallina. Todo lo haremos a la luz del día y como occidentales. No es mi biblioteca preferida pero para comenzar no está mal. Debes buscar uno de sus libros. Se trata de un historiador del arte dedicado al mundo antiguo y de habla alemana. En alguno de sus libros y a pocas páginas las unas de las otras, encontrarás dos párrafos que quiero que leas. Ya los he marcado internamente y te he asignado exactamente unas líneas. Me he cerciorado de que los libros de este autor en esa biblioteca carezcan de alguna otra señal. Por lo tanto las que encontrarás serán las que te aguarden. Habiendo leídos los párrafos que te estipulé, perdona el tono escolar, quiero que me escribas tu impresión. Y me la dejas allí mismo en ese libro. Dependiendo de tu respuesta, volveré a escribirte dándote instrucciones. E insisto, no se trata sino de una prueba. Un entretenimiento del azar.

Estimo que si quieres seguirme la corriente, pasaré por la biblioteca dentro de una semana. Creo que es suficiente para que hayas hecho tu investigación. Para alguien como tú, esto no es más que una dificultad menor. No botes la carta, tiene unas gotas de perfume. Pronto sabrás a qué obedece esta elección. Si quieres. No me queda sino despedirme de ti, mi querido partner deductor.

Gatúbela

P.S.: Algunos me dicen Catwoman pero a mí lo que me gusta es Gatúbela

Desde que Wikipedia y los titanes digitales reinan entre sus súbditos virtuales, las bibliotecas de las universidades acusan el despoblamiento. Pocos visitantes y libros que languidecen. Hay algunos que han vivido la soledad eterna. Textos jamás acariciados por manos algunas que conservan sus páginas como una vestal repudiada. Cada vez que muere alguien, sus familiares tienen el problema de los libros. Pocos los desean: hay quienes concluyen que todo el conocimiento humano cabe en un chip. Vienen siempre unos teóricos del *Wall Street Journal* a condenarnos a un futuro en nube. Archivos en nube, conocimiento en nube, libros en nube, librerías en nube y bibliotecas en nube. Todos estamos en la nube. Para pagar tanto archivo volátil unos estafadores inventaron las monedas que no existen, la criptomoneda que mina un espacio para hacer puesto en ese hades digital al que nos quieren despachar a todos. ¿Qué sucede si viene un nubólogo y borra todo, sopla la nube y aquí se esfumó todo? Hay especies que ruedan hasta en el ciberespacio de grandes desapariciones, de líneas y párrafos extraviados para siempre. Se habla de la descomposición posible, de que la vida no es tal en esa noosfera del otro lado de Windows. A pesar de la soledad, caminar entre las bibliotecas es un hecho reconfortante. Los libros olvidados te reciben, supongo que habrá algún júbilo imaginario, pero nunca virtual. Visitar los libros huérfanos en anaqueles que pocos consideran es regresar de vuelta a saber que todo está a salvo: que Troya volverá a ser incendiada o que Helena traicionará mil veces a Menelao. Recorrer la biblioteca de tarde, preferiblemente un viernes cuando apenas unos empleados murmuran para sí, conduce a la alegría de estar solo entre tantos conocidos: admirar el nuevo vestido de Emma Bovary, desear a madame Chauchat a pesar de su sexo tuberculoso, reconocer la angustia de K, espiar el desasosiego del capitán Ahab, recorrer la muralla china con órdenes desde Praga, o asegurarse de que el «aleph» continúa en la calle Garay. La felicidad tiene diversas manifestaciones, hay algunas equívocas pero una que otra contiene la dicha de una biblioteca.

Esteban permaneció pensativo. ¿Debo yo ponerme a realizar unas tareítas que me envía una completa desconocida? Probablemente no sea más que una psicópata ociosa y descorchada que quiera timarme para quedarse con mis riñones y ofrecerlos a una organización de tráfico de órganos. Gatúbela, ¿acaso es para creerle? Más que una felina, esta parece una versión femenina del Acertijo. Suponiendo que sea mujer. Dentro del rango de los enajenados puede que sea también un hombre. Un gay esquizofrénico y vengativo dueño de su propia banda homicida que anda planeando un atentado mortal contra una víctima escogida a su arbitrio: en este caso yo. A este país los políticos lo han vuelto loco, los tiranos han sacado de sus cabales a la población. Los habitantes de esta comarca no hacen otra cosa que despotricar del gobierno de una forma enfermiza y compulsiva. No hay conversación que no se escore hacia la ribera de la política y el modo en cómo los rústicos han destruido sistemáticamente al país. Centenares de miles de venezolanos han huido de esa sala psiquiátrica llamada Venezuela buscando un nuevo rumbo, una conversación distinta, un complemento circunstancial de modo. Si Venezuela se trastocó en la retrospectiva del fracaso, si todo se fue a la nada, es totalmente posible que pululen muchos más desadaptados de los que conocemos. Que las enfermedades mentales estén a la disposición y al acecho pero en silencio, sigilosamente avanzando y que hasta la persona más inofensiva que conozcamos pueda ser un instrumento para la alienación cerebral a la que hemos sido condenados colectivamente. Que nuestro alguna vez risueño país haya devenido en un manicomio caótico, cruel y desorganizado, lo convierte en un laboratorio fértil para que legiones enteras de lunáticos y perturbados preparen su desquite social a través de la neurosis. Si busco el desaliento, lo conseguiré. Nada resulta reconfortante si no queremos que lo sea pero dice que me conoce y hasta me ha citado. Esto no es producto de una trastornada, además tiene que ser mujer. Le ha dado importancia a lo que yo he escrito. Eso no es propio de una mente delincuencial sino creativa y que acierta en lo que se propone. Sería perpetrar un crimen no averiguar de lo que se trata y qué se trae entre manos. En estos tiempos desventurados, me queda como la única ventura y aventura que tengo frente a mí. No pierdo nada. Todo lo contrario: salgo ganando y mucho.

Ernst Gombrich. Jacob Burckhardt. Johann Joachim Winckelmann, Karl Friedrich von Rumohr. Heinrich Schliemann. Heinrich Wölfflin. Alois Riegl, Franz Wickhoff, Moritz Thausing, Ernst Cassirer, Walter Friedländer. Google y la memoria ayudaron a Esteban a confeccionar una lista preliminar. —Aquí hay nombres que son para especialistas—. Hay una vía, se dijo, ya que está en la biblioteca de la universidad, debo ingresar al catálogo online, y ver quiénes son los que están. Los ingresó uno por uno aunque tuviese sus sospechas de que la lista se reduciría a unos pocos. Tampoco la biblioteca podía tenerlos todos. Quedaron Gombrich, Burckhardt, Winckelmann, Schliemann y Ernst Cassirer. Ahora habría que ver cuál de estos tenía publicaciones sobre el mundo de la antigüedad. Esteban se contestó a sí mismo: sólo pueden quedar Burckhardt, Schliemann y Winckelmann. Empecemos por el último. Al buscarlo se dio cuenta de que había dos libros del historiador en la biblioteca, pero en alemán. *Sendschreiben von den Herculanischen Entdeckungen*. Walther, Dresden 1762, era el primero. El Segundo era *Geschichte der Kunst des Alterthums*. Walther, Dresden 1764. Imposible, no puede ponerme a leer en alemán. Sería totalmente complicado y desacertado. De Schliemann estaba solo su *Autobiografía*, lo cual no consagraba la obra de un historiador ligado al mundo de la antigüedad. Schliemann nunca fue considerado un académico por lo demás. Jacob Burckhardt. Tiene que ser él. Las instrucciones del catálogo en línea eran inequívocas: «Coloque en el recuadro palabras significativas de la información que desea localizar. Para mayor efectividad en la búsqueda, omita artículos, preposiciones, conjunciones y otras formas gramaticales no relevantes. Si desea acotar la búsqueda sobre un campo específico utilice la lista con la señalización 'En'. Para revisar los términos disponibles sobre el campo seleccionado haga clic sobre el ícono». Volví a colocar en el recuadro el nombre esta vez de Jacob Burckhardt. Aparecían dos entradas de libros. Que bibliotecas tan escuálidas y pobres las de estas esquinas hemisféricas. *Del paganismo al cristianismo: la época de Constantino el Grande*; Burckhardt, Jacob Christoph. México: Fondo de Cultura Económica, 1982. *Historia de la cultura griega*. Burckhardt, Jacob. España: Editorial Iberia. Tomos I-V.

Reviso a pesar de mi lógica los libros de Winckelmann y no doy con nada. También hago lo propio con el de Schliemann. Resultado nulo. Los tres primeros tomos de Burckhardt no arrojaron nada. Abrí el cuarto que iniciaba con un ensayo sobre «El hombre heroico». Vi dos *post-it* adheridos a las páginas interiores. Allí estaba Gatúbela de la mano de Burckhardt. El primero de los papeles adosados tenía un dibujo bastante bueno, en honor a la verdad, un dibujo de la Gatúbela de la serie, y decía: «Si estás a solas con este libro y esta instrucción, es que decidiste seguir el juego. Hemos comenzado bien, Esteban. Bienvenido deductor. Ahora leerás el segundo párrafo de la página 51 hasta la línea 19. De allí irás a la página 56 y darás lectura del segundo párrafo de la página 56 que termina en la 57 y en cuyo final he pintado un ojito. Es como garabatear un grafitti en el libro. La página ya es una doncella con mácula. Un ojito muy simpático y dibujadito con gracia, ¿no crees? Ya tú me dirás».

Segundo párrafo de la página 51 (Jacob Burckhardt, *Historia de la cultura griega*, «El hombre heroico»):

«El deseo verdadero del hombre heroico es la juventud eterna y la paridad con los dioses; este deseo lo expresa, por ejemplo, Héctor durante la lucha. Aparte ello existen algunos héroes viejos, como de oficio, en Homero y Néstor, y en el mito tebano, Tiresias y los que se veneran precisamente por su edad. Respecto a los caracteres, predomina una fe absoluta en el linaje. Sin contar con la frecuente descendencia divina, el poeta toma muy en consideración el linaje de las mujeres y de los padres de ellas, a pesar de imponerse en cambio la doctrina pesimista y amarga, de que los hijos a menudo no alcanzan en virtudes a sus padres, y es hablando en el sentido del mito, cuando Isócrates hace meditar a Paris respecto al ofrecimiento de Afrodita, que todos los demás bienes de la fortuna eran muy perecederos, mientras que sólo el nacimiento noble queda inconmovible, y que, por lo tanto, con la elección de Helena, procuraba el bien de todo su linaje, mientras que las dádivas de las otras diosas sólo le servirían durante el espacio de su propia vida».

Segundo párrafo de la página 56 que termina en la página 57. (Jacob Burckhardt, *Historia de la cultura griega*, «El hombre heroico»):

«Estos héroes lloran además como los niños, no sólo en las escenas de reconocerse, donde está muy indicado, como por ejemplo en la escena entre Ulises y Telémaco, sino en casos como el de Aquiles, que llora de rabia, como un niño mal educado, hasta que Tetis surge de las aguas y le acaricia , diciéndole: 'Niño, ¿por qué lloras? ¿Qué tristeza ha invadido tu corazón? Dímelo y no lo escondas en tu interior, para que los dos lo sepamos'. En estos tiempos heroicos el llorar, o más bien el hartarse de llorar, se consideraba como un alivio. Así mitiga Penélope en la última noche, antes de la decisión, su corazón antes de pedir la muerte en sus oraciones a Artemis. Pero cuando se llega a la saturación, los elementos se contienen; Menelao en su palacio recuerda a menudo a todos los que habían perecido, y tan pronto calma su corazón con lamentaciones, como se deja de llantos, porque 'pronto llega uno a cansarse de lamentaciones espantosas'. Y después de haber llorado con Helena, Telémaco y Pisístrato la pérdida de Ulises, objeta Pisístrato: 'No es agradable afligirse después de las cenas, mañana será otro día y habrá tiempo para ello'. Menelao lo acepta, y le dice: 'Dejemos de llorar y volvamos a ocuparnos en la cena'».

Esteban se dirigió a su oficina en la Universidad y comenzó a redactar sus respuestas.

Querida Gata,

Imaginarte de felina y encuerada con tu antifaz de los sesenta exhibiendo tus piernas ceñidas y alarmantes, es un motivo más que invitacional para deconstruir las palabras de Jacob Burckhardt y asignarles un pie de página para el siglo XXI. La búsqueda de la juventud eterna se convierte en el de la vida eterna. Este era y es el tema de J.B. Priestley al querer proclamar la simultaneidad del tiempo. Claro, eso no tiene nada que ver con la historia de los helenos pero yo quiero agregarlo. Eso quiere decir que vivimos un tiempo extendido y fijo en el espacio, y que estamos atendiendo hoy mismo al tiempo de los griegos y nuestro siglo taquicárdico. Pero también para ti cuenta el modo que me dices que aprecias tu linaje y que es el que te hará siempre inconmovible. Una gata aspirante a ser Helena de Troya y Afrodita. Todo eso dentro del Batimóvil, Gatúbela, mientras me observas escribiendo mi contestación al fondo de tu demanda y probablemente pintándote las uñas de un tono escandaloso e inquietante. Tal vez no lo sepas pero una de las frases que más me gusta de Batman a Gatúbela es: «Me provocas curiosos remolinos en mi cinturón de herramientas». Y te basta con lo que eres sin importar mucho que tengas descendencia alguna. En tu tiempo, extendido, simultáneo y probablemente eterno, tú no es que te satisfagas a ti misma pero importas bastante y con ello te emparejas a los dioses. Pero acaso ¿querrás ser como Andrómaca y aspirar a que tu Héctor no caiga en la batalla? De cualquier forma, la batalla o la lucha terrenal es lo que hace a Héctor y a Aquiles justificar sus vidas. Recuerda que el oráculo había previsto para Aquiles una eternidad o una vida fulgurante, heroica pero breve si consentía asistir a la guerra de Troya, guerra que no se ganaría sin su presencia. Por ello Tetis lo oculta en el gineceo y Ulises lo va a buscar y lo encuentra vestido de mujer. Y

Aquiles renuncia a aparejarse con los dioses mientras confirma su arrojo de ser hombre aunque ello represente la existencia breve. ¿Tú quieres ser diosa o mujer, gatita linda?

No sé si una tristeza habrá invadido mi corazón. Estoy agitado por una indiferencia y eso tal vez sea acaso peor que la melancolía que alivia el llanto. Que los héroes lloren no me sirve demasiado de consuelo en este mundo envilecido en el que triunfan a diario los canallas, los terroristas, el odio, los dictadores, los corruptos y el mal. Habrá que organizar unas llorantinas colectivas para que, no digo el mundo, sino para que este país se alivie. -Salid sin duelo lágrimas corriendo - recitaba con honestidad el olvidado Garcilaso. Me he quedado sin Galatea, tal vez una Galatea que se había indiferenciado y por eso es que no tengo un sentimiento ni de pérdida y menos de culpa. Difícil sí que es cambiar de costumbres. Cambiar de casa, de estado civil, de compañía y comenzar de nuevo la vida, una y otra vez aunque lo único permanente como decía Buda, sea el cambio. Además en un país que ha cambiado tanto que ya no lo reconocemos. Y también es posible como explica Herr Burckhardt que hayamos llegado a la saturación. ¿Puedes creer eso en tu aterradora simetría querida tigra? Y entiendo ya la salida al laberinto con Jacob. He descifrado tu pregunta encerrada en querer poner a un lado las lamentaciones espantosas, tanto de los griegos como de nosotros –tiempo seguido y simultáneo agrego- y cancelar la aflicción, cualquiera que sea ella y cualquiera que sea su punto de partida, la temible indiferencia, la vileza o el sufrimiento del pasado, cualquier pasado, cualquier presente, ni se diga del futuro. He entendido gata que lo próximo tiene que ser como el propio Menelao ordena, que nos ocupemos de la cena. ¿Y qué mejor sitio para festejar un encuentro, para celebrar tus cueros y tus máscaras que el Souvla, el comedero griego de esta ciudad? No puede existir algo más prometedor en estos azares intercambiables que repartirnos el pan y el cordero, brindando en nuestro utópico festín, por los caídos nunca en vano en la batalla, por Afrodita, Helena de Troya y hasta el incomprensible llanto de Aquiles. El basileo Burckhardt estará muy contento de que nos sentemos a la mesa para entrevernos detrás del menú. El muy constipado profesor de arte sabrá entender y disculparnos que no volvamos a mencionar juego alguno, aun con sus páginas como pretexto, y que nos entretengamos hablando de futuro y apostar a conocernos con la guerra de Troya como fondo, desenterrando nuestros tesoros aunque sean de otra época. ¿Crees que sean suficientes mis respuestas remitente desconocida? O ¿esperas a que la próxima vez arme el cubo de Rubik en un plazo compulsivo, como segunda fase de la comprobación de habilidades que me has impuesto y que he decidido seguir para saber hasta dónde me llevará? ¿He respondido adecuadamente a tus exigencias Helena de Troya? ¿Soy digno de que entres en mi casa, diosa Afrodita, que estás en todos los cielos y las tierras?

Esteban

Esteban salvó el documento y le dio nombre: «Deconstruyendo a Jacob Burckhardt». Lo guardó en el archivo personal. Seguidamente lo imprimió, lo vio en el papel bond muy normal y nada particular. Cogió su estilográfica. Firmó su libelo con especial seguridad. Dejó que se secara. Subió al tercer piso de la biblioteca. Lo introdujo en el tomo IV como se le había indicado y bajó las escaleras como militando en sí mismo. Preguntó en el mostrador por el libro. Le contestaron que nadie lo había sacado de la biblioteca en los últimos 20 años. Se sintió más que aliviado. Al fin y al cabo no se cuentan por centenares los lectores de Burckhardt. Se alejó de la biblioteca imaginando como su respuesta rubricada se había procurado una vida entre las páginas 51 y 57.

VII.
CARTAS AL EXILIO

A madame Pinkerton le agujerearon las nalgas con perdigones de última generación en la manifestación. Llegó con dificultad pero con la frente en alto. Ese día había llamado a cada uno de los apartamentos y hablado con todos los habitantes del edificio para ofrecer ir en grupo a la marcha. La mitad que la quiere asistió, la otra mitad que la detesta no le atendió el teléfono. Yo me encontré con su mensaje tarde y cuando quise contestarle la vi entrando doblemente coja al edificio con la ayuda de las gemelas del cuarto piso apoyada en el brazo de Estoooo. La saludé y le pregunté qué le había sucedido. Más que responder, gruñó con lo que me di enteramente por satisfecho para entrar ya de pleno derecho en la mitad que no le hablaba sino era estrictamente necesario. Pinkerton ejercía su reinado en el edificio con el auxilio de una corte improvisada y vigilaba que cada vecino más que cumplir con las reglas del edificio, las incumpliera para ella entrar en escena, látigo en mano como imaginariamente salivaba, para imponer jerarquías en su mundo cuartelar. Era gozosamente insidiosa con Mike, el vecino del octavo, al que lo acusaba de hacer demasiadas fiestas y fumar marihuana. Una vez hizo que la policía se lo llevara detenido. Mike estaba high y a pesar de que la policía no encontró ninguna sustancia ilícita se lo trajeron detenido por dos horas a la comisaría bajo acusación de violar la ordenanza de ruidos hasta que recordó que tenía un billete de veinte dólares que lo llevó de vuelta inmediatamente hasta su casa y el policía le dijo que todo había sido una equivocación y que lo contactara para lo que fuera y hasta le facilitó el número de su teléfono celular, para lo que usted quiera mi hermano. Ha jurado vengarse de Pinkerton y de las gemelas según le comentó a la conserje, que también desprecia como nadie a Pinkerton. Por eso, el día de los plomazos, Mike estaba saliendo de las residencias, como las llama Pinkerton, y al verla cojear más de la cuenta y ya sin disimulo, se frotó las manos y soltó un *depingamano* para que lo escuchara Estoooo y Estoooo se lo contara a Pinkerton y a las gemelas que son sus sobrinas que nunca se casaron de tanto rumbear. Ahora cada una tiene 34 años y están cazando candidatos. Mike odia también a las gemelas porque le chuleaban el monte hasta que lo dejaron y lo sapearon con la tía. Una de ellas salió con él hasta el día que empezó ella a sacarle plata y hacer que Mike le pagara las tarjetas de crédito porque tú sabes que si sales conmigo me tienes que dar mis regalitos. Mike estuvo un tiempo con ella hasta que se cansó y la llamó puta. Desde entonces no se tratan y nunca más regresaron a las fiestas. Y ya ni fiestas hay porque Pinkerton siempre llama a la policía pero la policía también se hizo amiga de Mike. Las gemelas están un tanto ajadas: el Johnnie

Walker se les nota en la cara a pesar de la cura de desintoxicación. Ninguna trabaja y viven de las rentas de dos apartamentos que tienen en el edificio, pero ahora hacen tortas por encargo. Mike ya no les dirige la palabra siquiera y tuvo la prevención de contarle sobre su vida a Esteban a los pocos días de llegar al edificio.

Mike es divorciado porque según cuenta no se quiso ir para el norte con su mujer y sus dos hijos. Y entonces la mujer lo demandó por divorcio. Ya el monte y la caña es algo del pasado le contó a Esteban. Me encontré con Jesús un día y me convenció de comenzar a ir al Templo del Reino. El señor es mi fortaleza, viejo, y con Jesús como aliado soy invencible. Un día tendrías que venir conmigo al Templo. Allí se encuentra uno con Jesús. No te estoy cayendo a muela. Yo mismo lo vi, por mi madre te lo juro. Después de eso vino la estabilidad, gracias al Señor. Mi agencia de bienes raíces empezó a recibir clientes tras clientes. Eran enviados directamente por el Señor. Claro, el Señor te ayuda hasta un punto. Tú debes interpretar bien la señal, guardar para el futuro. Acuérdate de José y el tiempo de las vacas flacas y las vacas gordas en la época de los egipcios. José fue el primer economista de la antigüedad ayudado por Yahvé. Ahora estamos en el tiempo de las vacas esqueléticas. Pero Jesús Salvador, en Ti confío, me lo advirtió. Y aquí estoy esperando que el temporal pase porque este país va a salir de esto con la ayuda de mi señor Jesucristo. ¿No quieres venir conmigo mañana para que te familiarices? Sabes lo que significa la luz y la oscuridad: la sombra y la claridad. Antes de encontrarme con Él, o antes de que Él me buscara, mi vida era un caos y Él me trajo la palabra y la salvación. No soy un hombre sin mácula, sigo siendo un pecador, pero voy por el camino hacia la gracia. He de convertirme en salvo. *Si los hombres pudieran ser salvos por guardar la ley, ¿habría sido necesario que Cristo muriera en la cruz?* (Gálatas 2:21) Es por mi fe que me lleva a la salvación como puede hacerlo contigo. Gracias, le contesté, es que no soy creyente. Así era yo, exclamó Mike, y cambié, cambié para siempre. Yo soy como San Pablo para ti. Ya lo verás, tengo en mis manos esa misión. Que el señor te bendiga y te acompañe. Jesús mismo sabrá conducirte al Templo. Estoy para servirte y con mucha convicción respecto a Él. En este mundo nada sucede sino por su voluntad.

Esteban abrió la computadora y desplegó el Gmail. Comenzó a teclear.

A ver María Silvia,

Pensé que los negocios entre tú y yo habían terminado para siempre desde que tú huiste. Porque eso no fue más que una deserción. Hubiese podido ser un acuerdo cerebral, caballeroso y decente como hacen los seres que creen en la civilización, en los modales, en las formas, pero tú te largaste como acostumbran quienes van a comprar cigarrillos y desaparecen. Y no lo digo por eso tan sobadito de que no me lo merecía. Tal vez me lo merecía pero en medio de un convenio sensato. Y entonces para justificarte mandas esas cartas larguísimas que parecieran buscar que yo terminara de conocer algo que quizás la convivencia anterior no te permitió dilucidar. En honor a la verdad, la indiferenciación que nos procuramos antes del Gran Escape, puesto así en letras grandes y cinematográficas, logró salvarme de siquiera invocar alguna nostalgia. Cuando llegas al «me da lo mismo» aspiras a un apretón de manos cívico de tipo escandinavo, lúcido, límpido, desprovisto de microbios y muy profesional. Debe ser que dejaste los insultos en Caracas y quisiste no olvidarte de ellos. O los reclamos. Claro, se ve que te acordaste de los «Debe y haber» de la relación y la contabilidad te salió solita sin necesidad de contratar a un auxiliar de balances. Pediste la cuenta y reclamaste que te estaban cobrando de más. Y en lugar de sostener con regocijo tu fuga vienes en plan saldo y aclaratoria y que de verdad no me interesa para nada. Y entonces regresas al lugar del crimen, o a la madriguera del delincuente para seguir definiéndolo en una ronda de identificación. Que yo sepa, tú ya acusaste al sospechoso y lo hundiste hasta el final con abogados, ventas, división de bienes, acusaciones de cobardía, fijación de una fianza de por vida y lo que más te gusta, con lo que gozas sadomasoquistamente en la prisión prêt—à—porter que me has hecho construir: tu condena en calidad de juez supremo y sin apelación alguna a una sentencia perpetua. Nadie se separa indoloramente, hasta te duele la costumbre cuando alguien se te va. Hasta el hábito que pierdes de un perro te duele, con excepción del zángano ese que recogiste y que no sé si ya «lo» sacrificaste o lo tendrás en una perrera francesa a punta de trufas de Perigord donde lo entrenarán en ladridos superiores y circunflejos. Claro, que a pesar de la indiferencia que comenzó a marcarnos te desencajas pero lo superas. Es que tu escapatoria no dejó lugar a dudas. Fue hermética, insospechada y hasta con sexo el día anterior para no dejar cabo suelto en la ruta al país tuyo personal del nunca jamás. Nos quedaba el sexo para coincidir. Allí se abolían las distancias, especialmente las que nunca llegan a admitirse para terminar acumulándose unas sobre otras hasta que no resisten más y se derrumban llevándose por delante todo. En aquellos quince minutos gimnásticos y prodigiosos, nunca estuve tan cerca de descifrar el poder untuoso de la atracción. Eso no sé si lo añoraré pero lo dejaré colgado en mi memoria. En ese océano pastoso y levantisco que visitamos llegué contigo a la idea de una libertad que posiblemente no volveré a reconocer. Por lo menos no del modo como me lo mostraste. Y te doy las gracias en este momento sin reproches.

Gratitudes aparte, vamos a tus puntos. Parece que se te dan muy bien los viajes o estás algo intranquila ya que saltas de París a California y después hablas de un desajuste apellidado Liberland. El hecho de que hayas medido tu resistencia térmica en un incómodo banco parisino y que ello haya templado las cuerdas de tu personalidad, lo celebro por ti pero la próxima vez te recomiendo que te arrellenes en la tranquilidad de un sitio temperado preferiblemente con mesoneros alrededor para que tus líneas vengan más liberadas del ventorral sub cero con que las lanzaste. París tiene sus encantos y sus miserias. Escoge las primeras: consejo gratuito. Fíjate que toda la literatura latinoamericana que se ha hecho en París pareciera no contar con sus habitantes a quienes casi todos desprecian o aprovechan todo instante para despotricar de ellos. Más bien los obvia. Has leído alguna vez de una casera risueña en el Barrio Latino o un mesonero que te convence a que pases luego a pagar la cuenta si se te ha olvidado el monedero. Pues no. Esa ciudad está llena de todo menos eso. Estoy cansado en mi país de experimentar situaciones de ven después y me pagas, o de comprar algo y luego hacer una transferencia. Todo esto sin conocer a la persona con quien quedo en deuda. De modo que nuestras ventajas tenemos a pesar del clima apocalíptico que creaste para lanzar tus rayos destructores y antinacionales. ¿Te acuerdas en Margarita del sitio de las arepas? Espero que lo sigas recordando a pesar de los platillos bocuseanos que ahora pareces engullir. El establecimiento de los Hermanos. Tú te comiste una arepa de raya, pecorino y aguacate. Supongo que no lo habrás deshecho de tu memoria con esa podadora antivenezolana de recuerdos que barre todo a tu paso. Terminamos de desayunar y me di cuenta de que el sitio no aceptaba tarjetas de débito. Intenté escribir un cheque y Moya me dijo que volviera otro día, cuando quisiera, y le pagara. Ese día lo estaba conociendo. Vamos a ver si en la Gran Épicerie a la que sueles ir te perdonan la falta siquiera de un euro. Llamarían a la gendarmería de inmediato. Algunas ventajas tenemos. Esto no es un mundo en blanco y negro como te atreves a pontificar en tu plan de venganza contra tus propios orígenes. De modo que ya que estás allá, o de un lado a otro, ten en cuenta lo positivo. Otro consejo es escribir las cartas cuando haya buen tiempo, detalle que parece haberte acompañado en San Francisco, a juzgar por la diferencia de las dos comunicaciones. No me voy a defender de las acusaciones que me haces. Considera que tu libelo de demanda es perfecto, que eres abogada de tu propia causa y que hasta he renunciado a defenderme ante ti. Esto no nos lleva a nada. Quizá te sirva de drenaje linfático y mental para tu licuefacción anímica, para volverte líquida y ajustarte mejor al universo post utópico que está convirtiendo este orbe en un arroz con mango desestructurado y anticonclusivo. Verás mi querida María Silvia, perdona la licencia del querer, si crees que te hallas a salvo en esas sociedades ajustadas, democráticas, estéticas y donde ciertamente impera el triunfo de la ley, en la que no hay tiranos ni gritones, donde los héroes no se reclutan de las alcantarillas o de los albañales, donde el Estado no apunta diariamente sobre ti y en los que las policías carecen de enemistad con el ciudadano, tienes razón: estás a resguardo así como estamos perdidos nosotros, pero no creas que escapas de la locura contemporánea de la putrefacta condición humana de los extremos, lamento informarte que has escogido el hemisferio equivocado con toda su segregación, terrorismo, odio, maldad, mucha maldad. Europa toda escogió cualquier región del planeta para botar sus desechos y jugar a la superioridad, y basta que haya un migrante de esas mismas latitudes que expoliaron que recorra sus calles, para que los buenos ciudadanos que puntualmente pagan sus impuestos y limpian con esmero la caquita de sus mascotas, midan a esos migrantes con la vara del desprecio. Recibo a diario correos de mis coterráneos que han migrado alertando sobre los «otros» migrantes en los países que los han acogido. ¿Y qué son ellos? ¿Qué clase de sentido de supremacismo moral está envenenando este planeta? No critico al que se va ni al que permanece. En esta vida breve, muy breve, brevísima, instantánea, todos tenemos derecho a buscar el espacio en el que mejor quepamos. Como ciudadano universal he dejado de creer en las naciones y en las divisiones. Veo el mundo como un gran tablero en el que nos podamos mover dentro de lo que sea permisible. Y la raza humana es sólo una. De esto no me saco ni yo mismo.

Ahora, mientras tú te enseñoreas en la apología del vendedor de gomitas psicotrópicas, clasificándolo como beautiful people of the world y lo parangonas al estadio de «víctima» de la venganza social, allí tengo qué preguntarte qué te ha ocurrido de veras porque lo único que se me ocurre es que hayas escrito esa frase degustando los brownies alucinógenos de tu ejecutivo de ventas. Semejante ejercicio de comeflorismo en una ciudad de extraviados irredentos devenidos en mendigos, no puede ser producto sino de la candidez que veo que es contagiosa en esos parques polinizados. No dudo del derecho de la beautiful people of the world en adquirir billetes en primera, ejecutiva o coach hacia los paraísos artificiales que se procuren, ni se lo disputo a nadie. De allí a pensar en una victimización y que merecen un reconocimiento superior en la escala humana es la más reciente teoría del charlatanismo que te has procurado. O de hablar de la pachamama romántica, esto no puede ser sino un ejercicio de humor tuyo traduciendo al quechua los parques de San Francisco._Te aconsejo que salgas rápidamente de esa ciudad engañosa y vuelvas a la fría e indiferente París con sus apáticos parisinos antes de que termines en un basurero de Chinatown perseguida por unos traficantes orientales no tan beautifuls. Estoy seguro de que ninguno de los defensores de ese libro de culto de Castañeda, *Las enseñanzas de Don Juan*, se haya leído ese texto gracias a las tronas históricas y a los reiterados viajes astrales en los que flotaban. Castañeda es un misterio, quien sabe si «mercadeado» por otro inventor de éxitos de ventas para los comedores de hongos fantasiosos y de reivindicadores del peyote (los gerentes de mercadeo son capaces de todo). Parece que tenía una novia venezolana que desapareció enigmáticamente. Gracias a los hippies de Berkeley el mundo cambió pero la generación de melenudos desaseados, esos que podían estarse tres días llorando luego de una canción de Janis Joplin, y que sus descendientes devinieron en yuppies conservadores y comebiblias, exportaron su histeria orgánica camuflada de globalización. Encender un Marlboro en nuestros días del post hipismo es un crimen de lesa humanidad mientras en todas las series gringas hasta los senadores y los policías degustan su chuchito de marihuana. Así que piensa, María Silvia, que tu distribuidor de mercancías no es otra cosa que un vendedor del planeta americano que a todos nos han impuesto. La neurastenia alcoholémica creada por estos asépticos que se reúnen en canchas de baloncesto con corbatas de poliéster se mide con elementos más estremecedores que los que registra la escala de Richter. A todos esos aleccionadores de la limpieza corporal por dentro y por fuera, les recuerdo que Jesucristo en la última cena ofreció nada menos que vino, y no precisamente gaseosas o aguas saborizadas. Adicionalmente, les refresco la memoria con que uno de los más geniales prodigios del *Nuevo Testamento* del redentor Jesús fue la reproducción de los panes y el vino, nuevamente el vino, en las bodas de Canaán. Jesús además del Salvador debiera ser considerado como el patrono de las agencias de festejos, los camareros y los negocios de catering. Es mi milagro preferido, mucho más contundente que el de Lázaro pero por cuadras, porque cualquiera podría revivir, en todas las series televisivas de emergencias y cuidados intensivos resucitan a los enfermos. Hasta Lázaro se pudo haber puesto de acuerdo con Jesús y levantarse un tanto turulato con la mortaja pero hacer que exista vino donde no lo había requiere de un talento especial. Eso sí que es un fenómeno inexplicable. Jesús, no lo dice el Evangelio, pero tiene que haberse convertido en el alma de la fiesta esa tarde. Hizo que apareciera toda la caña que faltaba.

Lo que quiero decirte es que no te engolosines con lo que culturalmente reconoces pero se diferencia de ti. En este antipaís hay una lepra institucional, cada día desaparece un dedo, un brazo, una oreja. Dentro de escaso tiempo llegaremos a la más pura anarquía y desdibujamiento del Estado por la ingobernabilidad. Aun así y pese a todo, a la única conclusión que llego es que no obstante mi cuota parte del mal de Hansen, no pienso emigrar a ninguno de esos paraísos que con tanto cuidado y estilo te has dado en describirme chupándote los dedos del goce que te producen. Prefiero mil veces vivir en la anomia de Durkheim, fiel representación de lo que es esta aglomeración humanoide sin puntos cardinales, a estirarme a mis anchas en las latitudes de tus Googles Maps no porque me vaya a adherir a tus direcciones sino que estoy a una altura de mi vida donde no me calo el desarraigo ni voy a hacer un curso especial para convertirme en ciudadano del mundo civilizado. Que mucho de peligro hay. Te metes en una disco y corres el riesgo de que un hooligan religioso te encomiende no precisamente al paraíso de sus mil vírgenes. O que te boten del país en cuestión porque a algún bocazas de la Casa Blanca amaneció con tortícolis o que una pandilla de neonazis te rodee porque no cargas contigo la insignia de su equipo de fútbol y la tribu desea darte tu merecido. La verdad es que el post industrialismo no lo entiendo y prefiero seguir bregando anti diluvial y anti fukuyamamente con eso que llamamos la historia a cuya pegajosa telaraña estamos aferrados en el sótano 220 de todos los índices mundiales en donde nos estacionaron como representantes de una nación sin que se vea combustión alguna para despegar. Aquí todavía les abrimos las puertas a las mujeres, les cedemos los puestos a los ancianos, nos ayudamos en la medida de las posibilidades y sobre todo, tenemos un clima que es la envidia de este ancho y ajeno mundo. Pido para ti pues muchísima ventura en tu conquista epopéyica y políticamente correcta del primer mundo donde como te señalé nunca estarás plenamente libre y ajena a las malandanzas del mundo a menos que te mudes a Islandia, y siendo que te dispones a cruzar los cielos en tu comodidad de 33 mil pies de altura es probable que lo hagas. En ese país desde el año 2000 hubo escasamente 26 asesinatos y los malhechores son bastante torpes según concede la opinión pública con excepción de algunos carteristas que huelga decir, son acusados de ser todos extranjeros. Eso sí, olvídate de bañarte en la playa si resides en ese país modélico. Que estés también por cierto de chamán de la gran familia humana con tu vestido hipster en una de «amaos los unos a los otros», te aconsejo que lo hagas hasta que haya cesado la consecuencia de la sustancia ilegal que seguramente te obsequió tu pretty rasta. Y te contesto a tu pregunta. No sé por cuáles pasadizos te arrastraste mientras estuviste conmigo que ahora te ha dado por querer contarme. Ahórrate tus amenazas licenciosas. A mí no me atemoriza tu posible declaración de infidelidad ni lo que quieras urdir para que yo destruya la imagen que tengo de ti. Guarda esas confesiones para tus psiquiatras lacanianos cuando hagan completo silencio.

En cuanto a Liberland, se requiere estar mal de la cabeza para hacerle caso a un checo sin oficio o con mucho que anda recorriendo el mundo para buscar financiamiento para esa república que quiere fundar en medio de un pantano, rodeada de naciones desconfiadas y feroces que ven esta iniciativa como un chiste institucional. Si acaso has dado dinero para estos proyectos de la chifladura a cambio de un pasaporte de juguete, mal veo que comienza tu adaptación en aquel anciano continente experto en estafadores políticos de todo pelaje en los últimos mil años. Que te salga alguien a embaucarte con que hay un territorio que nadie reclama, una res nullius para el primer tiburón que le eche un mordisco, es algo cuya lógica se sostiene sólo por la extravagancia de un centroeuropeo, su novia y su mejor amigo que se fueron de excursión y decidieron en un día de campo fundar una república baldía y emitir bonos de la deuda pública que nunca ha existido. No sé donde se dan estos intercambios onerosos: deben ser en Facebook, donde hace poco otro iluminado proclamó un reino al sur de Sudán para que su hija fuese princesa. Con tanta modernidad, el mediano ciudadano occidental quiere ser rey de su taberna o de un territorio que ha soñado. En un momento de Enrique V se dice: «Todo lo que debemos saber es que somos soldados del Rey». Hoy los soldados buscan ser monarcas de sus invenciones. Si los de Wall Street te venden expectativas y las compañías de computación comercian con instrucciones, estos padres de su propia patria pueden traficar con un himno y su bandera ideados en el garaje de su casa. ¿Quieres también hacerte ciudadana de Liberland? María Silvia ciudadana liberlándica, antiguamente venezolana que echó la cédula de identidad en un paquebote sobre el Sena con un acordeón de fondo. ¿Tocaban alguna canción de Chevalier o de Gilbert Becaud? No cuento las otras dos nacionalidades que tienes porque nunca me interesaron de modo que acumular una adicional en el currículum resulta innecesario y agotador. Los tracaleros no son simplemente las figuras lombrosianas que nos encontramos a diario en este país histéricamente delincuencial. Mucho rábula con doctorado de universidad pontificia y medieval con título redactado en latín ciceroniano abunda en este mundo. ¿No es acaso para desconfiar que alguien de entrada no te venda un resort o un seguro de vida sino nada menos y nada más que un país?

ECG

VIII.
LAS MONTAÑISTAS Y EL CUENTISTA EMERGENTE

Esteban tomó la carta de Gatúbela y llamó a una de las gemelas. Quería que lo ayudara a reconocer la colonia de la carta.

—Necesito que me ayudes a identificar un olor —le pidió.

—Depende —contestó ella—. Nada es gratis. También te voy a pedir algo. Acuérdate del dicho: «No hay almuerzos gratis en esta vida».

—Está bien —asintió Esteban—, pero primero me tienes que decir cuál es la fragancia de esta hoja.

—Con que carticas aromatizadas, Esteban. Primero y principal es un perfume, las mujeres no usamos colonias y menos esa ridiculez de fragancias —La tomó y la puso frente a sus narices varias veces—. Uhmmm. Huele divino, riquísimo. Ya sé, ya sé cuál es, es que la conozco full full, pero antes me prometes que participarás en un club de lectura que estoy organizando.

—Muy bien —dijo Esteban, pero yo escojo el libro.

—Vale —dijo la gemela—. ¿Cuál es el libro?

—¿Cuál es el perfume?

—Chanel Chance, no hay lugar a equivocación. Yo misma lo usé un tiempo. La gente me paraba en la calle a preguntarme cuál era ese perfume y yo inventaba porque si no, se iba a poner todo el mundo a usarlo. Te diré que lo dejé de comprar por un incruste que me hablaba todo el tiempo de lo bien que olía. ¿No será que fui yo la que te escribí esa carta olorosísima? ¿La puedo leer?

El grupo de lectura de las gemelas quedó bautizado como Las montañistas ya que Esteban se empeñó en que su primer libro fuera *La montaña mágica*. ¿Querían leer? Lo harán. Además son tiempos para Castorp y Settembrini. Nos hace falta un poco de Davos en este bochinche intertropical caótico y asfixiante donde todos hablamos a la vez sin escucharnos. Es difícil la serenidad en esta *comarca de devoradores de serpientes*, maestro Cadenas. Se grita mucho y se manotea mucho, y se gesticula mucho y todos pensamos que tenemos la razón al mismo tiempo y que nuestra posición es la que carece de defectos. Por eso, suponernos montaraces puede ser una terapia desintoxicante. El régimen *detox* alpino para los estados alterados con ingredientes importados del Mar del Norte y del Báltico. El doctor Behrens poniendo inyecciones y descorchando bombonas de oxígeno. Settembrini sin embargo es el gran aleccionador meridional para esos nórdicos de costumbres inmodificables y puntualidad histérica. Hans Castorp no se atreve a llevarle la contraria: es un pusilánime que carece del arrojo para acercarse a Madame Chauchat y mostrarle sin pena su testosterona agitada. ¿Es posible traer el ambiente apacible del Berghof para unas lectoras caraqueñas? Me pregunto si será posible hacer la biografía de un hombre por los libros que leyó. Que la vida de un lector sea el reflejo de las páginas que recorrió. Que su existencia misma sea un pretexto para lo que imaginó a través de la literatura. Que haya vivido realmente por los volúmenes que visitó. ¿Sería digna de mención su existencia, tema de alusión o se habría desdibujado su página en otras páginas? ¿Nuestro biografiado tendrá un carácter, un modo propio, una personalidad o irá cambiando según el trayecto que recorra? Encarnará eso tan pedante que estiran los profesores de literatura: ¿se habrá convertido en un polisémico? ¿La experiencia de su vida será la de personajes imaginarios que respiran gracias a otro imaginado llamado el narrador? ¿O él le otorga concreción y definición y aire a este reparto cada vez que lee? ¿Es el lector un narrador improvisado? Porque va confirmando también en su imaginación lo que encuentra. Los personajes habitan según se les invoque y guarde en la memoria. ¿Es el lector un pequeño creador de universos?

Ha habido épocas enteras de mi vida que recuerdo más por lo que leí que por lo que hice. La nostalgia por algunas novelas transcurre paralelamente a lo que fueron entonces esos días. Para el último año del colegio tengo que ponerme a pensar muy seriamente sobre las cosas a las que me dediqué más allá de graduarme. En cambio, no olvido las tardes persiguiendo a esa elegante libertina de provincias llamada *Madame Bovary*, creyendo como nadie que afirmaba en su cuerpo su soberanía. Fueron tardes luminosas con promesa de recuperación porque a diferencia de la vida de todos los días, la vida literaria se vive tantas veces como se relea, y con un destino diferente. La puesta en escena perfecta de *El jardín de los senderos que se bifurcan.* Una vez vi a Borges en Caracas la única vez que nos visitó. No me atreví a preguntarle nada en aquel salón exageradamente realista del Hilton. Dirigirme a él hubiese significado confundir dos niveles de vida irreconciliables e imposibles: habría implicado dinamitar la amistad que existía entre los dos y desdecir la intemporalidad de nuestro vínculo intransferible. El maestro era especialista en circunvalar las preguntas que no apreciaba. Un banquero amigo mío se lo encontró en un restaurant de Atenas desayunando y tuvo la ocurrencia de inquirirlo por Beatriz Viterbo. El escritor simplemente le repreguntó: ¿Usted sabe cuántos generales tiene el Ejército argentino? Haber alentado la posibilidad de su ironía habría correspondido a un doloroso asesinato. No abrí la boca. Estuve mucho tiempo echándomelo en cara y juzgando mi timidez una y otra vez. Un día di con una selección de Chesterton a cargo del escritor argentino. Tuvo el detalle en nombre de nuestro aprecio literario de otorgarme una respuesta a la medida de mis reproches personalísimos. Copio literalmente las frases de su prólogo: «Chesterton, cierta vez, estuvo a punto de visitar Buenos Aires, yo iba a ser invitado a la comida de recepción; el hecho me alegró, pero no pude dejar de sentir que mágicamente era mejor que no viniera y que permaneciera en su límpida lejanía. Además, pensé que lo conocía como a mi mejor amigo y que eso ya era suficiente». Todos sus libros son el punto de la cita con la que no nos hemos dejado de frecuentar. Y con un trato bastante entrañable, diría. Tengo momentos de verdadero entusiasmo por los crímenes que Erik Lönnrot va descubriendo en la ciudad de Buenos Aires y cuya localización describe a su vez, la estrella de David. El anuncio de los cigarrillos de la Plaza de Fierro lo tengo presente casi a diario. Es una relación de siempre. El preámbulo a esos episodios se da en las librerías. Comprar en una librería no es lo mismo que *online*, aunque los placeres se parezcan. Semejo las librerías a un museo: deben ser silenciosas, casi solemnes, con mucha luz, puede que se admita alguna música de fondo, siempre a unos niveles muy controlados. Así como me enfurezco con los que hablan en los conciertos o en los cines, fulmino con furia a los que hablan en voz alta en las librerías. De hacerse debe ser preferiblemente con el librero y de temas estrictamente literarios. La cotidianeidad no es bienvenida en estas zonas sacras.

Así como Gurdjieff dejó sus *Encuentros con hombres extraordinarios*, en la biografía literaria a la que aspiramos, hay que remachar el tropiezo con escritores extraordinarios, que nunca son numerosos y que decidimos quiénes son los nuestros. Estoy dando algunas señas. Esto nunca será definitivo, tiene que ir cambiando. Una tarde me topé con Álvaro Mutis, de quien había escuchado y no había puesto mucha atención en él. Su amistad con García Márquez lo deslucía un poco, no porque el Gabo desmerezca el apelativo de extraordinario, sino por lo diferentes, sensación que corroboré al conocer a Mutis por sus libros. Nunca me he amistado con el Gabo a pesar de sus libros y su inigualable mención de la Tramontana. Es que nunca me ha provocado existir en Macondo. Uno escoge su vida literaria. No es lo mismo habitar en Barataria que en Comala. Es una elección hasta fatalista. Mutis era un príncipe elegante, trajeado con paños ingleses, camisas de batista y corbatas italianas, y el gaviero pasó a ser uno de mis más confiables y generosos contertulios. Tengo devoción por *Rayuela* y la visité desoyendo los saltos que me aconsejaba el propio Julio. Viví con ciertas limitaciones, bastante precarias en su París y creo que volver a Buenos Aires en aquel barrio de las afueras fue un error descomunal. Me fui inmediatamente de aquella casa recoleta y olvidada. El señor Paul Auster es un caballero muy correcto y muy constante. Tiene la virtud de que te encierras con sus personajes en un sótano desesperante de Kansas, o ves como un escritor de Brooklyn se encama con la mujer de quien te has enamorado en la noche de su oráculo, y hasta se lo perdonas, porque la vida en sus habitaciones literarias puede ser todo menos aburrida. Conoces a gente interesantísima. Hay mujeres muy putas para escoger a toda hora y con quienes volverse loco. La vida con Auster es súper adictiva y hay que aprender a avanzar. Cada paso que das con él puede llevarte a cambiar de papel súbitamente. Nunca serás el mismo luego de haber tratado a Auster. Hay que cuidarse de sus azares. Pueden ser fatales o magníficos. No hay que confiar en nadie. Especialmente con sus ninfómanas que arrastran el sino de la destrucción.

Como esta vida es tan corta, hay que saber aprovecharla y cuando uno gusta realmente de un escritor tiendes a conocer su obra completa. Ese es el termómetro para medir tu temperatura con la literatura. Los autores insignes son los que lees íntegramente. En la universidad finalmente pude conocer lo que significaba el hambre con aquel descolocado de Raskolnikov. Para seguirle el trote a ese sanguinario eslavo, me parecía que debía protegerme y bajaba a la cocina en los momentos en que viví en *Crimen y castigo* a hacerme unos sánduches gigantes mientras Rodion Romanovich ensayaba el hachazo de aquella anciana. No fueron días fáciles. Como al contrario sí lo fue acompañar a Ignatius J. Reilly en su recorrido por Nueva Orleans: un tipo tremendo este glotón, muy desvinculado del mundo pero eso es lo que lo hacía memorable. Con los clásicos sucede algo muy curioso que les voy a contar. Es como ir de visita a un sitio donde no se te permite que te portes mal. Imagínate, ¿qué irá a decir el poeta Homero de tu comportamiento? Es como al niño que lo obligan a ir a un sitio vestido con cierta pompa y de pronto le dicen: mijo, salude al señor Calderón de la Barca. Joven, usted como que no tiene modales: párese y dele la mano como le he enseñado al señor Cervantes, pero también pasa que el manco comprende y te dice: vaya a jugar un rato con el ingenioso hidalgo, y de pronto te fuiste con ellos en el mejor viaje que has hecho en tu vida aunque a veces te parece que te hablaban en otro idioma, pero por disparatado. Los clásicos son como todo: un día conoces a Voltaire, a quien lo etiquetan como tal, y te das cuenta que lo que ha repetido es burlarse de todo mundo sin piedad alguna. Qué compromiso pasarse una temporada con el señor William Shakespeare. El trato es muy formal, allí no se cometen deslices y siempre se está hablando en serio, de los grandes temas de la humanidad, además en medio de charcos enteros de sangre. Y terminas un poco agotado porque no te dan tregua con el lenguaje. Así es que se habla correctamente. Y uno dice, un momentico por favor, déjame irme a visitar a un amigo que tengo en el condado de Yoknapatawpha botado allá en Missisipi, y uno se airea porque este socio, muy aficionado al Bourbon te va a hacer vivir días muy poco comunes. Los escritores del sur de los Estados Unidos son gente muy hospitalaria pero allí no hay historias cándidas. Nada parece lo que es.

El señor Hemingway que no es del sur, sino de todos lados tiene la cortesía de llevarte de viaje apenas conociéndote. Te obligará a que te persigan los toros en Pamplona, irás junto a él a cazar en Kenya, un consejo que doy para ese tipo de vida es no meterse mucho con los cazadores blancos. De allí sin que medien palabras viene la pesca de marlines en el Caribe, alguna que otra golpiza y como te descuides, terminarás suicidándote con una escopeta parecida a las de la cacería. No hay que darle mucha confianza a Ernest aunque también te presentará muchas mujeres o te quitará la que tienes. No se parece en nada al señor Henry Miller que es un maestro en eso de orinarte encima y sin que te des cuenta. Pero vivir junto a él tiene sus ventajas: conoces todo lo que tengas que conocer. Hasta el mal. Hay quienes se llenan la boca diciendo que hay que leer a los autores en sus lenguas originales. Me pregunto si han leído a Tolstoi en ruso o al nazi de Knut Hamsun en noruego. Es que los traductores son unos lobbystas muy poco confiables para compartir con los autores. Un traductor porteño me hizo una vez romper con John Steinbeck. Volveré a frecuentar al escritor de Salinas cuando termine de demandar penalmente al argentino. Así que cuidado.

Recomiendo alguna cautela viviendo en las novelas de Rómulo Gallegos porque estás como en un aula y te están recordando los deberes escolares. No sea como esa señora devoradora. Fíjense en el ejemplo del señor Luzardo. ¿Esto es vida, te preguntas? Es como perdurar en el libro de Moral y Cívica de Canestri, una corrección inevitable. Un señor muy lúcido y brillante es Herr Zweig. Recomiendo hacer amistad de inmediato con él. El espíritu en sus páginas es exultante. Me gusta esa vida a pesar de que ya se sabe, es del grupo de los suicidas pero tiene la discreción de no anticiparlo. Después hay unos caballeros recientes que he frecuentado y me han alojado por mucho tiempo en sus párrafos, como los del señor Murakami. Primero lo primero, Haruki hace que escuches la mejor música y comes fenomenalmente. La mayoría de los escritores en eso son muy descuidados. Muchos no te ofrecen ni una taza de café en sus obras y la gente tiene que comer. Somos humanos. En ese sentido Murakami siempre lo asemejo a ese compañero muy responsable del colegio: te da a comer, y luego se invita a irte de excursión, con frecuencia a unos pozos muy extraños que no terminas de entender hasta que le conoces definitivamente la personalidad. Si alguien quiere degustar inmejorablemente bien, le aconsejo que vacacione unas quincenas en el *Cementerio de Praga* de Umberto Eco: eso es para glotones que no se sacian. Qué atención tan espléndida. Hay que desconfiar de los platillos que se sirvan en las novelas de Vila—Matas ya que tiene una aversión con los ojos del pescado. En cuanto a él, se parece algo a Hemingway a pesar de ser un escritor poderosísimo y más que recomendable. Y lo digo en el sentido del suicidio. Desde que lo conoces empieza a insistirte en que te suicides. Y para convencerte tiene una legión de orates y licántropos muy industriosos en su narración pero persistentes con eso de que atentes contra tu vida. Que empeño tan desagradable pero puede ser que te vayas a alguna isla portuguesa invitado por él. Allí tampoco se libra uno de personalidades lunáticas reclutadas con disciplina al estilo de Nosferatu. Volviendo a los consabidos clásicos, si se decide perdurar en las páginas del señor Joyce, abjure de los convencionalismos del lenguaje. Tiene que reaprender a hablar. Y si visita a Monsieur Proust, no esté pendiente del tiempo ni consulte el reloj. Las visitas al señor Kafka son un tanto traumáticas y es factible que te arresten y te sometan a juicio. Ni te cuestiones por qué lo han hecho. Considérate afortunado de seguir con vida. Si insistes en preguntar, Franz te convertirá en cucaracha sin chistar. Hay vidas de vidas.

Si se desea una vida de ensueño donde sea envidiable, no hay mejor residencia que la de los hermanos Grimm. Pero normalmente ese tipo de residencia la tenemos cuando somos niños y luego se nos olvida que lo fuimos. Para eso está inevitablemente la posibilidad de recurrir al aviador Saint—Exupery para volver a ella. Recomiendo veranear en la obra de la señora Woolf. Pocas veces se consigue uno con un ser tan tremendo y extraordinario como ella. Se otorga muchas licencias. Virginia puede hacerte dudar de tu género. Prepárate para un cambio de sexo incluso. Para los defensores de los perros, *Flush* promete una vacación florentina de categoría incluso a pesar de los impresentables dogos italianos. Y hablando de fenomenales, tengo uno que reconozco como tal, Sándor Márai. Si se quiere apreciar lo que son las mujeres, a pesar de que presumamos que las conocemos mejor que nadie, hay que comprobar un período vacacional, tal vez largo y repetido, con *La mujer justa.* No sólo se evocará un tiempo ido que se mantiene gracias a su celo sino que se tendrá el retrato inequívoco de la mujer desde todas sus atalayas sociales. Si la persona quiere agredirse, pasar trabajo y desea flagelarse, debe hacerse ciudadano de las obras de J. M. Coetzee. Aconsejo muy prudentemente realizarse un contaje de glóbulos antes de acometer esta saga o consumir bebidas energizantes previo al hecho porque se termina con el potasio por el suelo. Y si se quiere participar de la epopeya real, no crean que los voy a remitir con Roland, o el Mío Cid, sino con Herman Melville y si de aventuras se trata hay que vivir en *La Odisea* a pesar del trato de clásico que se le dispensa al poeta Homero. Hay que tener de paso mucho cuidado con la aventura. Hay libros que se presentan como tales y terminan siendo un pasaporte al horror. Lo digo por el capitán Kurtz y lo que está siempre tramando Conrad, a quien siempre he creído un agente doble. ¿Un polaco escribiendo como los ingleses? Nadie cambia de pasaporte tan fácilmente. La vida literaria es tan emocionante que una vez un amigo fue a visitar a Balzac y lo encontró bañado en lágrimas. ¿Qué le sucede? preguntó: Acaba de fallecer la duquesa de Langeais, uno de sus personajes. No me quejo de las temporadas en Chinatown que me he disfrutado con los forajidos de Hammett, una gente muy imaginativa aunque bastante desconfiada. Sam Spade probablemente le advierta a los lectores que en cada esquina hay una bala esperándolo que lleva su nombre. De allí que la novela detectivesca perfecta es aquella donde el culpable de la trama es el lector. La vida con los detectives nunca será fácil. El que tiene la mayor experticia es Simenon. El señor Conan Doyle me parece muy poco entrañable por ceremonioso y flemático. Tengo un apego inmenso y sentimentaloso por el padre Brown, que dispone con detalle de unas locaciones esplendorosas en medio de la campiña inglesa. Si se viaja con el sacerdote al Distrito de los Lagos, no habrá queja posible. Deberás acompañarlo a misa con toda seguridad además porque suele haber algo oculto en las sacristías. Y sirven buenos platillos a pesar de ser Inglaterra que como recuerda mi estimadísimo camarada Julio Camba: «La asepsia británica, muy recomendable para las clínicas, no pasa en la mesa de ser una caricatura del asco». Incluso uno se puede sentar a la mesa con el propio padre Brown, cosa que nunca te permite Vásquez Montalbán porque si el detective Pepe Carvalho te convida a su casa, apenas se acomoden una llamada los sacará de la mesa para ir a resolver un crimen. Allí está el caso de Carlos Ruiz Zafón. Me encontré con alguien que lo había leído. Una *wannabe* del mundo publicitario, de juicio circunvalable pero se le hincharon los ojos e hiperventiló refiriéndose a él. Hablaba de un quimérico cementerio de libros. Leí sus novelas y me sepulté en ellas. Al salir de nuevo a la superficie, convencí a varios de hundirse por algunos días en aquella tierra de nadie.

Lo bueno de esta vida literaria es que se hacen nuevos amigos. Como todo, habrá desconfianzas hasta mutuas. Hay algunos que te llegan y sencillamente no puedes con ellos y se te hacen unos impresentables. Me pasó con Roberto Bolaños, no hay forma de que lo trague a pesar de que lo he intentado varias veces y con todas las cartas de recomendación. Cosa muy diferente ha sido lo que me sucedió con Antonio Tabucchi, qué señor para entablar una relación de lujo. Conversa bien, habla muy bien, se dirige muy bien. Todo lo que hace es superior. Nunca he dejado de visitarlo lo mismo que a los muy honorables señores Tanizaki y Kawabata. Trato de cumplir con ahínco con Fernando Pessoa pero siempre te sale con una personalidad distinta, muy parecida a la de su coterráneo Saramago que lo que tiene es un escenario distinto y una manera diferente de convencerte. Como cambian estos lisboetas. En eso, creo que a Pessoa y Saramago no les falta razón de mutar. Y el territorio donde mejor me siento es en la narración.

Carezco del idioma del drama o la poesía, no me sé tropezar con ellos del todo. Si el drama es el de Jean Genet, agárrate bien ese culo que puedes terminar con una visita no deseada. Si tuviese que referirme de nuevo a estas vidas lo haría de modo completamente distinto. Lo cierto es que empecé hablando de las épocas de mi vida en que recordaba más lo que leí que lo que viví. De pronto los dejé atrás con esa promesa inicial. Es que uno también cambia, ni hablar de los narradores.

Las gemelas García-Pinkerton, sobrinas de la susodicha y en adelante Pinkerton, vivían organizando actividades alternas a conseguir marido como grupos de cartas, clubes de lectura, iban a conferencias y en general trataban de no perderse ninguna fiesta. La Caracas de los últimos años le había bajado la intensidad a las celebraciones gracias al que llamaban «El tirano» pero en lo que se podía, sus habitantes sabían cómo celebrar. Un psiquiatra había concluido sabiamente por la TV: esto no lo podemos soportar sobrios. Philharmonia era una asociación musical donde participaban las gemelas y no se crea que las diferencias en nuestro país se restringen a lo político. Quien piense eso no conoce esto. En Philharmonia había dos grupos definidos: los toscaninianos y los furtwänglerianos. Hacían elecciones y las planchas llevaban los retratos de Arturo Toscanini y de Wilhelm Furtwängler. Un tercer grupo se denominaba walterianos-klemperianos y trataban de ser el fiel de la balanza. Los vonkarajanos que habían ocupado una vez la presidencia habían sido desplazados del poder gracias a la alianza táctica entre furtwänglerianos y walterianos-klemperianos. A última hora los vonkarajanos solicitaron el apoyo de los toscaninianos pero la decisión de arriba fue votar nulo. Los furtwänglerianos habían aprobado la reelección indefinida y como eran mayoría, tenían muchos años al frente de la presidencia desde la que se organizaban foros, tenidas, y conciertos. Hace unos meses Philharmonia tuvo una dramática escisión ya que los vonkarajanos no aceptaron que los furtwänglerianos impusieran un homenaje inconsulto al pianista Arturo Schnabel y abandonaron la asociación. Las gemelas, por la aceptación general de la que gozaban, fueron comisionadas por el actual presidente furtwängleriano a lograr la vuelta de los vonkarajanos bajo la promesa de un adelanto de las elecciones generales. Otra asociación en la que participaron por poco tiempo las gemelas fue la Sociedad Jung de Venezuela que al año de fundada se dividió de un modo hasta violento dando lugar a dos sociedades Jung de Venezuela que se demandaron mutuamente.

Las gemelas convinieron con Esteban que el primer libro sería *La montaña mágica* y en el grupo de las montañistas, el nombre les encantó, estarían muchas de sus amigas. Estoooo insistió en que lo aceptaran a pesar de que eran puras mujeres. Esteban no estaba en absoluto ganado a la idea pero es que Estoooo, como insistió una de las gemelas, había comenzado a escribir y tenía los cuentos que quería enviar al Concurso de Cuentos Murcianos Marqués de Camachos, y aspiraba a que Esteban, como profesor de literatura y escritor que era, se los revisara. Esteban terció porque lo aceptaran en el grupo pero sin correcciones de texto alguno. Estoooo se presentó a hablarle.

—Sé que no quieres corregirme los cuentos, y no te voy a insistir. Sólo quiero que me des tu opinión sobre el que voy a enviar al concurso. No te lo leeré, sino te lo explicaré porque es una temática fuerte, a lo mejor incomprendida, pero es de la vida diaria. Estoooo es un cuento con dos personajes: un hombre y una mujer. Están en una fiesta. La ha conocido ese día y hay muy probablemente alguna química. El hombre ha sentido ganas de evacuar, sabes a lo que me refiero, prefiero ese tipo de verbos pasados de moda. El hombre experimenta unas ganas súbitas de obrar y, en un momento dado, no dice nada y se escapa subrepticiamente al baño. Al ingresar se da cuenta de que alguien ha estado antes y ha dejado un gigante *stronzo* (En el idioma castellano no existe una palabra unánimemente admitible para esa forja). Entretanto, la mujer con quien ha departido también siente ganas de ir al tocador, va al sanitario destinado a las mujeres, está ocupado y le ofrecen que se dirija al de los hombres donde todos le ceden el puesto, como corresponde. Adentro del excusado, el personaje, nuestro personaje trata de bajar el WC y se da cuenta de que no baja. Levanta la tapa del tanque y repara en el hecho de que se ha estropeado y no se llena. Del tiro se le quitan todas las ganas ya que no puede solucionar la engorrosa situación. Decide regresar a la mesa y al abrir la puerta se sorprende porque la mujer con quien ha estado hablando está esperando entrar al retrete y no tiene otro remedio que darle paso pero no se atreve a decirle nada ni contarle la verdad sobre lo que encontrará. El cuento termina con la puerta cerrándose y lleva por título «El mojón heredado». Es una situación que me sucedió. El punto de catarsis está en el pánico que experimenta el hombre ante su imposibilidad de reconocerle a la mujer lo que va a hallar allí, y a la vez está al tanto de que si no se lo dice, la mujer creerá que fue él. Y ese dilema lo tiene en los pocos segundos que a lo mejor son como años que le toma abandonar la toilette. Lo tengo ya escrito y le estoy haciendo modificaciones. Tiene unas 15 páginas llenas de tensión. ¿Qué te parece?

Esteban recordó el remate de su casa a cargo de Estoooo. Trajo a cuento que disfrutaba de una parafilia: le gustaban las cojas. Muy seguramente era vil y acumulaba sentimientos de odio y violencia. Quizás se trataba de un nuevo William Burroughs, pistola en mano jugando a ser William Tell y dispuesto a cometer un crimen atroz en medio de la noche en alianza con la irregular de Pinkerton. Quizá Pinkerton se merecía esa herencia. Reclutó con fuerza la única frase que le provocó escupirle:

—Mejor te dedicas a arreglar pocetas.

IX.
LOS REMOLINOS EN EL CINTURÓN DE INSTRUCCIONES

Hola ECG,

Así que Aquiles reivindica su destino humano por encima de cualquier consideración. Completamente de acuerdo contigo. Esas lecturas con más de dos mil quinientos años siguen siendo motivo de una pésima interpretación. No lo digo por ti. Sin ir muy lejos, allí está Bob Dylan que ha compuesto el peor discurso de aceptación de un premio Nobel de literatura, que ni lo dio él y a él nunca le han debido otorgar ese reconocimiento. Porque los suecos se hicieron los suecos y para justificar este galardón se inventan un imposible de rapsodas griegos acompañados de una banda del Midwest. ¿Y Dylan lo es? Este mundo de hoy es el mundo torcido. Y no es que yo sea una experta que digas guao pero Bob Dylan, premio Nobel: Give me a break. En su pésimo discurso le retuerce el pescuezo a un Aquiles que quizá lo leyó en una Odisea malísimamente traducida o se inventó su versión no sé si ayudado por las Selecciones del Reader's Digest, y trae el momento cuando Ulises baja al Hades y habla con Aquiles, y según este motorista cool que parece adelantar un viaje eterno de gasolinera en gasolinera solicitando unos modelos en quien inspirarse, dice sobre Aquiles que básicamente nada valió la pena. Estamos hablando de Aquiles. No de un mascachicle que pide que le pongan una Bud light en una barra de Kansas o de un camionero que va a competencias de rodeo los fines de semana o que sueña en viajar de Oklahoma a Orlando para conocer los parques temáticos. Cuando se trata de todo lo contrario. Aquiles sigue reivindicando la vida y añora su lucha, su batalla de héroe. Evoca seguir siendo el hombre que fue pero no el alma apartada del Hades, en eso hay total unanimidad. A Aquiles no le interesa el reino de los muertos sino la vida misma y en el Hades le pregunta a Ulises: «...háblame de mi ilustre hijo, dime si fue a la guerra para ser el primero en las batallas». Y rememora encontrarse a sí mismo como uno de los vivos, confirmar su destino humano, cuando recuerda a su padre Peleo: «Cuéntame también si oíste algo del eximio Peleo y si conserva la dignidad real entre los numerosos mirmidones, o le menosprecian en la Hélade y en Ptia porque la senectud debilitó sus pies y sus manos. ¡Así pudiera valerle, a los rayos del sol, siendo yo cual era en la vasta Troya cuando mataba guerreros muy fuertes, combatiendo por los argivos! Si, siendo tal, volviese, aunque por breve tiempo, a la casa de mi padre, daríales terrible prueba de mi valor y de mis invictas manos a cuantos le hagan violencia o intenten quitarle la dignidad regia». Fíjate en las palabras de Aquiles: «siendo yo cual era en la vasta Troya» y «mis invictas manos». Aquiles reivindica la función del hombre, es un conquistador de la Tierra, se adelanta años luz al Zarathustra de Nietzsche y sale ahora este despelucado de Dylan con sus dosis de antidepresivos en los bolsillos a mal citar a Homero como una influencia literaria (lo hace también a vuelapluma con *Moby Dick* y con *Sin novedad en el frente*, sin considerar mucho a sus autores. Lo central es que sus canciones no son nunca una obra literaria). Este es el premio Nobel de un sorprendido que se pavonea a medias tintas de tener el precedente de escasos autores y de un tal Buddy Holly, un compositor al que le guarda una devoción vocativa. Óyeme bien, luego de las citas directas de Homero en su conversación entre Ulises y Aquiles, lo que se atreve a concluir este ganamillas de bandana con su Gibson a cuestas. Traduzco sus palabras leídas en Estocolmo que reinventan el síndrome de cambiar las cosas a su medida: «Sólo me acabo de morir. Eso es todo. No hubo honor, ni inmortalidad. Y si pudiera, escogería regresar para ser esclavo de un labrador en la tierra a ser el rey de los muertos, que lo que sean sus luchas de la vida, son preferibles a estar aquí en este lugar muerto». El que quiera leer a Homero a través de la contratapa del CD de Bob Dylan será como aprender de comida francesa en los fogones de un McDonald's. Que con los Chicken McNuggets descubras al capón trufado. Ahora resulta que un cantante con cuatro libros revisados nos va a ilustrar sobre los aqueos. Me da muchísima risa.

Me gustó cómo hiciste la tarea Esteban. ¿Que si quiero ser como Andrómaca? A lo mejor, y hasta Helena de Troya. Pero no me da nota que seas Héctor, sino que me dediques palabras como las de Héctor. ¿A qué mujer no le gustaría reproducir el ideal de la belleza femenina y que se peleen por ti? Una de mis películas preferidas es *Las troyanas* de Michalis Kakoyiannis que expone a sus mujeres luego de que ha caído la ciudad empezando la misteriosísima Helena, encarnada por Irene Papas. Pero para que conozcas mi aterradora simetría, tendrás que hacer algo mejor que invitarme a comer un preparado mediterráneo en la paideia preferida de tu Egeo particular. Hace poco vi las fotos de un cartel de un bar que decía: ¡Toma vino, porque nunca una gran historia comenzó con una ensalada! Ten muy en cuenta eso. Para asaltarme y saborearme, deberás edificarte tu caballo brioso sin estribos alquilados. Tendrás que ser más imaginativo. Me estoy viendo mis pies, mis pechos, mi cabello y lo demás mío que no menciono y creo que te van a gustar pero te lo tienes que merecer mejor más allá de disponer una mesa en el mar de Occidente. Me estoy viendo en un espejo inmenso que tengo y me provoca pintarme dentro de él como Velázquez. Sabías Esteban que cuando Velázquez le presentó las Meninas a su rey, a Felipe IV y le preguntó qué le parecía, el Austria le dijo que le faltaba algo muy importante. Y tomó un pincel y sobre el pecho del Diego Velázquez que se reprodujo en ese lienzo de infantas y de enanas como yo quiero hacerlo mientras me contemplo y me excito con mi desnudez, pinceló la Cruz de Santiago, honrando al artista y haciéndolo caballero de esa orden. Acabo de encenderme un Marlboro, Esteban. Fumo solo en los momentos en que me detallo como ahora y me importa un pito lo que me digan los sanadores y profetas a domicilio al respecto. Nunca me compres cigarrillos, Esteban. Tengo unas pocas cajas que me duran años porque esto es eventual. Hoy debe ser un día importante para que lo esté haciendo. No tengo ninguna bata blanca en la que puedas hacerme una cruz para mi propia congregación. Estoy de pie, estoy desnuda y me gusto, Esteban. ¿Qué te puedo decir? No me atrevo a tocarme: quizá estallaría de placer. ¿Tú qué dices? Insisto en suponerte. ¿Has pensado en eso que te supongan? Guarda mi dirección de email. Ahora las cartas no las necesitaremos a pesar de que siempre admiro con pasión las plumas y el papel. En algunas bibliotecas da gusto volver a encontrarse con las viejas y honorables fichas bibliográficas. Hoy los sistemas se caen y te quedas íngrima en el extravío digital. Nuestro universo online desconoce la poesía y lo ubica todo en una tabla de Excel. La vida de alguien se reduce a un video de Snapchat de los que se desechan pasadas cuarenta y ocho horas. No me compres nunca cigarrillos, Esteban, porque corres el riesgo de no regresar. Y todavía no has llegado para que pensemos en que debas irte. Qué mundo tan poca cosa vivimos. Ahora los homenajes parecen ser atrevidos y de mal gusto. Ask Dylan.

¿Ya averiguaste sobre la emanación que fijé en tu carta? ¿La conservas? Tengo las uñas pintadas de rojo y quiero que lo sepas, mientras te dicto tu nueva misión para sentirme una dominatriz de deberes intelectuales. Carezco de látigos y de collares con clavos pero amo el color rojo que tiene una intensidad poco común. Pompeya no sería la ruina ilustre sin ese rojo que creó la lava del Vesubio. Me encantan los volcanes, mi Malcolm Lowry. Te imaginas tú y yo escapando de ese magma, vestidos de ingleses en Mesoamérica y completamente ebrios de un tequila barato. O de visita en Saint Pierre donde la ciudad quedó destruida y que estemos allá, mirando ese despojo inmortal junto al mar, y despierte la humareda con sus ruidos huecos y amenazadores. ¿Te gusta tu rol Esteban? Hoy, que es un día importante como te dije, me provoca ponerme pictórica y vamos a hacer algo con el rojo. Es que quiero verte totalmente de rojo a ver si me meto dentro de ti y me fabrico una guarida refulgente. Hay un cuadro que me fascina de un caballero casi enteramente de rojo. Me produce un delirio erótico, me estremezco, siento un temblor irresistible, una comezón que me baja hasta el vientre y me sacude apenas si me muevo. Me gustaría que tuvieses la mirada de ese cuadro y también sus manos. Te quiero tener con esas manos. Son las de un artista: firmes pero melancólicas. Quiero que me mires directamente y me estreches las dos manos como Monsieur Flaubert. Monsieur Flaubert finalizaba su correspondencia con esa frase. Cada vez estamos más cerca, Esteban. Pero debo saberte de rojo para deducir si alguna vez te voy a desvestir y si me provocará hacerlo y sacudida. Las formas son muy importantes. No es lo mismo comer sobre loza inglesa que en platos pensados para el microondas. Ni tomar un Gran Crú en copa oscura. Hay que ver siempre lo que uno se lleva a la boca que también la tengo de rojo. Por eso es que aspiro con agitación que adivines el cuadro en el que quiero revisarte bajo la hospitalidad del rojo. Se trata de un artista de los Estados Unidos. No te digo más. Ahora voy a vestirme yo esta vez de rojo con una bata que me dé alguna cercanía a lo que aspiro de ti. Ya no abundo más porque me delato. Sabes que más que resuelvas mis acertijos, me gusta verte proceder sobre ellos. El conocer que estás en eso, a pesar del laberinto histórico en el que estamos envueltos, me permite sobrevivir a esta locura colectiva que nos rodea. ¿Tú no?

¿Tú piensas en mí? Ahora tendrás la oportunidad de contestarme pero no te pongas intenso que la intensidad no es para ti. No me gustan los intensos, la única intensidad posible es la del arte. El que es intenso en la vida diaria desaprovecha lo que de normalidad tiene la cotidianeidad para lo creador. Estamos ahogados en lo común por creer que le debemos intensidad a lo habitual. A los hombres les da por la intensidad en el momento de cortejar a una hembra. La mayoría tiene una teatralidad limitada y su personalidad especial les dura hasta el primer polvo. ¿Te estoy pareciendo muy vulgar con esta expresión cruda? Luego se van desdibujando, se deshacen de las escasas destrezas que imitaron y regresan al corriente papel que siguen a diario hasta el hartazgo. Sé que no eres así. Pero debo comprobarlo yo misma a toda costa. ¿Será acaso la mía una intensidad? ¿Cómo crees que me pueda llamar? ¿Cómo piensas que pueda ser yo? ¿Tienes alguna propensión alrededor de mí? ¿Has soñado conmigo? ¿He llegado a deslizar mi mano hasta tu muslo en la madrugada? ¿Sueñas para encontrarte conmigo y no despertar? ¿Por qué parte de mi bajo vientre te gusta extraviarte? ¿Quieres darme cacería encuerada con mi antifaz de los sesenta? ¿Ya me tienes un nombre asignado, Batman? ¿Sientes los remolinos en tu cinturón de instrucciones?

Gatúbela

A veces me pregunto por la belleza y creo que no es posible un mundo que la desprecie. Veo a mi alrededor y me pregunto por dónde se ha escabullido aunque la percibo, la intuyo y la creo advertir con su dulce proximidad. Recibir una carta esconde y devela un acto de belleza. En esa dialéctica entre lo apolíneo y lo dionisíaco, lo armónico y lo perturbador, vive la belleza. ¿Habrá belleza en la imaginación? ¿Habrá belleza en lo que no conocemos? ¿Somos capaces de inventar belleza y asignarla a lo que nos rodea, nos circunda pero que aún no nos toca? ¿Está la belleza relacionada con un sentimiento o con un reconocimiento? La belleza es aprendida o es intuida. Cuando contemplamos algo, leemos algo o escuchamos algo, sabemos si estamos cerca de ella. No es algo que solo reconozcamos a la vista: leyendo hasta un correo electrónico puede haber belleza, alentada por nosotros o elaborada por terceros. La belleza puede ser un sentimiento, una abstracción, una mirada, contenida en una frase, una melodía, un atardecer o el nombre de una mujer que no conocemos. Habrá belleza solo si admitimos que sea posible. No es un problema sólo de estética, no es simplemente un reduccionismo armónico, simétrico y de unos cánones repetidos. A pesar de la fealdad en este mundo tan evidente en la vida de todos los días, creo que la belleza siempre triunfará. A diferencia de la felicidad, es más estable y recurrente. Podemos dar con ella siempre y cuando creamos en ella. ¿Quién la habrá ideado? Ha sido una jubilosa revelación, una epifanía que justifica la vida.

Hola y adiós, Esteban,

Cada vez te noto más anciano en tus opiniones Esteban. Me pregunto dónde quedó esa frescura mental tuya, desprejuiciada, abierta y libertaria que alguna vez me interesó de ti. La ancianidad es un error imperdonable: el naufragio final sin salvación. Los que envejecen físicamente no son ni culpables ni responsables pero la senectud mental impuesta por el conservatismo es completamente vomitiva. Tú has decidido envejecer muy pronto desde el momento en que te escudas en tu neo macartismo inventado por ti y sólo para ti, desde el que excluyes toda forma de pensamiento que no calce con la cuadrícula en la que habitas cándidamente sin reparar que hay un mundo afuera. Verás, el límite que te has impuesto a ti mismo residiendo en esa jurisdicción sin futuro ha hecho que te recluyas en tu utopía privada con cerca eléctrica y vigilantes con rifles de mira telescópica. «Disparen primero y averigüen después» a quien se atreva a ingresar en tu muy dogmático coto de normas que van a resguardar un mundo que ya no existe. Despierta Esteban van Winkle del sueño que has iniciado para no enfrentar la realidad. Por supuesto que huí de ti. Era una necesidad para escapar de los derechistas como tú que carecen de sensibilidad para entender al mundo y se la pasan dando instrucciones. Ese es tu problema y tu síndrome de profesor: estar dictando cátedra con la pizarra portátil que llevas para hacer anotaciones. Entre paréntesis, me parecieron patéticas todas esas referencias demodés sobre el sexo y la libertad. ¿De verdad puedes creer eso? Acaso la relación conmigo era un compendio de justificaciones psicoanalíticas. Ay por favor, que si tus quince minutos gimnásticos y prodigiosos, que cosa tan rebuscada. El poder untuoso de la atracción. Océano pastoso y levantisco. ¿Pero es que tú estás fabricando frases por encargo o qué? Me hiciste sentir como Nadia Comaneci haciendo contorsiones y paralelas. Aquello no era más que sexo hedonista. Especialmente al final. Sentía tan sólo una necesidad física. El día antes de irme estaba simplemente cachonda, quesúa, birrionda. ¿Puedes entender esos términos o quieres te los explique con detalle?

Que reclames se comprende. Tienes tu derecho al pataleo que no te sirve de nada por cierto. Será para que te des una justificación a la medida de tus carencias y tu comprensible falta de oxígeno para respirar al mundo. A veces uno tendría que ser muy práctico y saber el momento en que un reclamo tenga alguna utilidad práctica porque los tuyos me dan plin. Tú eres un pretérito imperfecto, Esteban. Hasta la frase me quedó bien. Pretérito imperfecto, buenísimo. En cuanto a tus gracias, de qué te vale ese gesto inútil que a mí no me afecta en lo más mínimo. Hasta me da grima y siento un vinagre en la garganta. Ten un poco de dignidad y haz las cosas sin tu cerebrismo estructuralista que tanto daño te causa y te seguirá delatando.

¿Qué sabes tú lo que puede significar Liberland para la esperanza de la humanidad? ¿Tienes acaso idea de lo que representa eso para la creación de espacios institucionales salvadores de la propia civilización? No te tomes esto a la ligera con tus dos o tres frases fugaces y colocaditas. Esto no es un Estado parecido a lo que ha existido y ha alienado anteriormente. Liberland, la tierra de la libertad, es una posibilidad de cambiar sin los prometedores de paraísos ni los redentores de siempre. Este es el mejor homenaje a la Libertad en mayúsculas, de la cual tú dices saber algo y hasta te has atrevido a escribir sin tener la más puñetera idea de lo que en verdad significa. Tanto tratadismo, tanta teorización, tanta revista académica, tantos congresos, tanta habladera loca de paja global y no se llega a nada posible, táctil, a la mano como podría ser Liberland como idea concreta. En Liberland se superan las contradicciones del pasado. Se anuncia no la vacuidad del tiempo por llegar sino que ese tiempo ha llegado y se ha fundado una república donde puede caber todo el género humano, no con las alcabalas racionalistas y que librepensadoras del pasado, más bien castradora pensadoras del pasado. El presente está lleno de abrumadores como tú que carecen de la idea de que otro mundo es posible, en cuanto no reincida en los errores sino que se centre en aceptar al ciudadano sin que lo sacrifique el peso del Estado. Tú hostigas con tus ideas de pequeño burgués intrascendente toda representación del porvenir. Este es el primer anti-Estado de la historia y quizá su virtud es que carezca de historia, la rechace, la desprecie y prescinda de ella para construir un correlato alterno a ese historicismo repugnante que no considera al individuo sino en función de una creación institucional que lo agrede, lo delimita y lo anula. Liberland implica al contrario la reivindicación del individuo y su logos que buscan una alternativa para la edificación de sus necesidades de ciudadano, sin la alienación del Estado. En Liberland el individuo es su propio Estado, es su soberano, su rey, su presidente, su primer ministro. Todos son los mejores en su género y la igualación es hacia arriba. Liberland es la consolidación de la nobleza humana sin Hobbes ni Rousseau ni profetas ni anunciadores. ¿Tú has considerado esto que te estoy diciendo para referirte despreciativamente con tus respuestas sacadas de un juego de Trivia a una de las creaciones más fundamentales probablemente de esa misma historia, despreciable y prescindible? Deberías tomarte la molestia de investigar un poco más y no dejarte atropellar por la ignorancia que tienes sobre el tema, capaz de nublar el escaso espacio de pensamiento que también me pareció que alguna vez tuviste. Los creadores de Liberland reúnen una suficiente dosis de heterodoxia, sensatez, equilibrio y hasta poesía para que tú los califiques con el último flato de tu inteligencia en desbandada. Infórmate y abstente de sandeces. Y seré ciudadana de donde me dé la gana. Muy especialmente de esto tan admirable que estoy segura de que cambiará lo que conocemos como mundo.

Te das el lujo de darme consejos y hasta alentarme a que vuelva a París a reencontrarme con habitantes intolerables, como los ves tú. Y antes de eso me llamas drogada y que escribo bajo el efecto de los alucinógenos. Preferiría mil veces que ese fuera el caso a vivir en el falso hiperrealismo de las limitaciones que te ofrecen las cuatro paredes de tu cabeza excluyente y con prohibición de entrada a nuevos conceptos. Hasta llegas al ultraje con la gente que me ha otorgado una felicidad aunque sea momentánea o de unas horas. Parece que la felicidad o su posibilidad te asustan y eres ya incapaz, sumido como estás en una autarquía de reflejos fragmentarios, de celebrar que el mundo tenga optimismo por respuesta. Ese rasta, como lo has humillado y lo has condenado con tu prosa supremacista y arrogante podría darte a ti lecciones de humanidad. Y de recordarte cuál es el destino del hombre en esta nueva etapa en que las fronteras y los estados van a terminar abolidos para dar comienzo a la gran sociedad universal, en la que Liberland será un faro y una referencia. No te culpo de tus errores gramaticales en la vida y en la política. Encerrado en ese chiquero que reconoces por patria, los puercos no te permiten mayor visión. Por lo pronto disculpo tu hipermetropía, sufres una enfermedad nacional. Tus paradigmas son los de la edad de piedra a la que se dirige tu país. Contra eso no se puede hacer nada. Te cercan la incomprensión y la ceguera. Eres el ciudadano de un traspié hemisférico. No tengo tiempo ni ánimo para las anécdotas parroquialistas de tu antipaís. Más allá de que adverses a los tiranos, tienes un pensamiento ortopédico cuyos artefactos de sostén son los de la limitación a que está expuesta toda su sociedad, enferma y sin retorno. De un manicomio colectivo en el que te enorgulleces de estar sólo cabe esperar expresiones psicopáticas y esquizoides. No sé qué recomendarte. No hay grageas que concedan una cura a la estrechez de alma. Para saberte asegurado en tu república chauvinista y clausurada recurres a unos ejemplos tan ridículos como fútiles. A mí qué me puede ya importar el fiado de una arepera de provincias. Estamos hablando de nociones que atañen al futuro de la raza humana y tú me vienes con un menú folclórico y plastificado. Da realmente pena verte recoger migajas del suelo para armar un argumento de defensa nacional. Me contento por la simpleza de tu idea de placidez que te concedan crédito y facilidades de pago para una empanada de pepitonas. Bravo Esteban. Tu capacidad de desilusionarme no tiene límite ni vergüenza. Contrariamente a ti soy una persona previsiva y también solvente. Por eso es que a nadie le pido refinanciar mis deudas cotidianas. Y que en el lugar donde he escogido vivir para el resto de mi vida, se cometan tropelías, asesinatos y atentados, nadie lo duda porque en este mundo nadie está a salvo. El odio por los demás no está ubicado geográficamente: existe ecuménicamente y eso no me preocupa. Me preocuparía, sí y mucho, tener la arrogancia de declararme tan consciente de mi exclusión hacia todo lo demás, hacia lo extraño, hacia lo foráneo para justificar la vida miserable en esa contra-nación del nunca mañana. En los próximos tiempos viajaré a Liberland con Hasso, un holandés que se ha convertido en mi pareja. Los dos no nos exigimos más que tolerancia y respeto y creemos en una libertad compartida y en un proyecto común. Hasso cree como nadie en Liberland y ha formado parte de sus fundadores iniciales. Nos conocimos en esa ciudad repugnante que para tu inopia es París de Francia. No sé si volveré a comunicarme contigo. Lo estimo difícil y sobre todo inútil. Tampoco tengo por qué hacerlo, pretérito imperfecto. Hasso es mi futuro a lo mejor no perfecto pero bastante adecuado a lo que figuro como la aproximación que tengo sobre lo que me espera vivir. Hoy mismo le voy a contar sobre tus llamados quince minutos gimnásticos y prodigiosos. Lo untuoso. Estoy segura de que le va divertir mucho esa ocurrencia tuya. Ni mencionar el océano pastoso y levantisco. Jajajaja. ¿Qué pasó con lo que alguna vez fuiste? Hasta nunca.

María Silvia

X.
TRES INSTANTES DE UNAS VIDAS

El apartamento de la rue Grenelle, perpendicular a la avenida de la Bourdonnais ofrecía una vista enaltecida a la torre construida por Eiffel. Justamente, el ventanal del amplio cuarto de María Silvia le permitía a la torre famosa despertarle las retinas como un póster mandado a hacer por un operador de viajes. Era la locación perfecta con la correspondencia del Campo de Marte y la imagen de postal que se solicita para saber que se está en un sitio de privilegios habitado por privilegiados. A Hasso lo había conocido antes de viajar a San Francisco en una presentación de los patrocinantes de Liberland. Anoche le había permitido quedarse en su casa a pesar de que lo consideraba pareja pero María Silvia se repetía el lema de los cuadritos caraqueños: «Cada uno en su casa y Dios en la de todos». A María Silvia no le gustó que Hasso saliera completamente desnudo a la cocina el primer día que amanecía en su casa, más allá de que la mañana estuviese radiante y que la torre se viera más nítida hoy. Así jamás fueron las cosas en su hogar, los que tuvo y dejó atrás. Le pidió que se cubriera y el holandés no entendió la sugerencia porque permaneció cocinándose unos huevos fritos con jamón de York hasta que María Silvia le trajo la ropa para que se la pusiera y él la siguió viendo extrañado ante su actitud poco coherente con la idea de fundar el nuevo mundo que les esperaba. El desayuno transcurrió muy poco comunicativamente. Apenas conversaron con que tendrían que arreglar un viaje para conocer el territorio sobre el que se extendía Liberland. Las noticias sobre el pillaje de los antiglobalizadores en Hamburgo a raíz de la reunión del G—20 incomodaron a María Silvia. —Es absurda toda esta destrucción— dijo. Cada quien lucha por sus ideales, le respondió Hasso. Ella no le volvió a hablar y menos cuando Hasso le pidió 25 mil dólares para Liberland. —Hay que contribuir con el proyecto, de lo contrario no habrá futuro— consiguió decir el holandés mientras María Silvia se encerró en el baño sin probar bocado y no salió hasta que el holandés terminó de desayunar y abandonó sin despedirse el apartamento tan bien situado y oloroso a apetito. La franela que vistió Hasso esa mañana, ya se sabe espléndida, llevaba una inscripción que no llegó a ver María Silvia recluida en la distancia de la regadera: «Kampf dem Kapital».

Esteban había sacado del anaquel *La montaña mágica* para releerla esa semana y la mañana de ese día quiso que un rayo de sol llegara directamente a la tapa con la chaise—long. En realidad releer la *Montaña* era como irse de excursión al pico Oriental, por decir lo menos. La vez que Esteban lo escaló se sintió una vez más como sir Edmund Hillary haciendo cumbre en el Everest y llegando unos pasos delante de Tenzing Norgay a las 11:30 de la mañana del 29 de mayo de 1953. Pero así como a Norgay le habían edificado un monumento en el Himalayan Mountaineering Institute, absolutamente nadie había celebrado la llegada de Esteban al Oriental ni tampoco su ascenso al pico Naiguatá. Quienes se aventuren a subir al Oriental de paso tendrán una vista única sobre el valle de Caracas. Y quienes escalen hasta el Berghof en excursión junto a Castorp y Settembrini, tendrán una panorámica parecida pero sobre sí mismos. Esa fue la única sandez que se le ocurrió a Esteban mientras descorría las cortinas del cuarto y veía la montaña que tanto entusiasmaba a los caraqueños. El Ávila es todo el parque nacional aunque los nativistas lo rebautizaran como Waraira Repano, denominación originaria que Esteban nunca había utilizado. Revisó las noticias en el chat y le pareció curiosa la de Hamburgo que direccionaba a la Deutsche Welle. «Decenas de vecinos de #Hamburgo se organizaron para limpiar y ordenar la ciudad tras protestas por cumbre del #G20». Se fijó en ella porque las noticias de su país eran siempre terribles y pesimistas. Las manifestaciones dejaban siempre la ciudad hecha un asco y a nadie se le había ocurrido, ni siquiera a los que se llenaban la boca llamándose voluntarios, ni a los creyentes en la religión de la responsabilidad social, ni a los invocadores del prójimo, ni a los ecologistas, ni a los montañistas, ni a los verdes, reunirse y formar cuadrillas para recoger los escombros y asear la ciudad. Estaba claro que esa motivación debía partir de los más identificados con las causas ecologistas. Esteban no iba a salir escoba en mano a convencer a las gemelas de que hicieran un poco de trabajo social en la avenida Francisco de Miranda. Le hubiese gustado tal vez sentirse realmente ciudadano y tratar de dar algún ejemplo en esa ciudad cada vez más vuelta un bodrio. Tomó una foto a la portada de Mann, se la envió a las gemelas que habían creado con entusiasmo un grupo de WhatsApp, Las montañistas, y aprovechó de remitirles lo de de la DW en cuyo video se veían las imágenes de los entusiastas ciudadanos: «¡A limpiar Hamburgo! Los voluntarios hicieron aseo comunitario y limpiaron áreas públicas y locales dañados». Unas bellezas de mujeres iban con todo tipo de esponjas y material de limpieza, mostrando unas piernas apetecibles y hanseáticas. Las gemelas no se quedaban atrás con sus piernotas. Pero no comentaron nada de Hamburgo ni de sus voluntarios, ni que actitudes como esa valían más que todas las promesas de refundar el mundo. Simplemente colocaron las dos un *emoji* interactivo que se expandía y contraía con el pulgar subido debajo de la imagen de la tumbona vacía.

Agatha tenía tres años durmiendo desnuda y sola. Se había hartado de las pijamas y ni se diga de las dormilonas. En una época hubo una especie erótico—femme—fatal que se puso de moda y que a ella nunca le encantó: las famosas baby doll, pensadas para uniformar a las mujeres frígidas en la noche. Para que no se sintieran como tal y pudiesen fingir mejor los orgasmos inexistentes. La vista sobre la ciudad desde Los Campitos hacía que su casa fuese doblemente atractiva ya que integraba dos valles, el del sureste y sus montañas y el del valle de Caracas propiamente. Vivir sola en una casa junto a un fantasma y los dos secuestros que acumulaba, no la disuadían de vender el inmueble. El divorcio con el banquero hacía tres años la había rejuvenecido y al entrar el primer rayo de sol que ella bien calculaba que le llegara a los párpados, pensó que todo estaba por empezar de nuevo una vez más esa mañana. La ciudad estaba completamente trancada debido a las protestas y tan sólo se trataba de esperar hasta las dos de la tarde para que todo fluyera de nuevo. Anoche se había embriagado sola y redescubrió la dimensión de su ratón moral al ver un cenicero lleno de cabos y la cajetilla de Marlboro rojo vacía a su lado. Se miró al espejo y se regocijó de que el tiempo seguía sin visitarla. Todos parecían quererse ir del país. Su ex se había instalado en Panamá mudando sus negocios turbios. Esos negocios de enchufe le habían dejado la casa y un porvenir. Si era sensata y no hacía locuras, le duraría el dinero toda su vida. Era lo que se proponía hacer con más compromiso, se juró esa mañana. Total, no tenía hijos ni nunca los quiso y para una persona como ella con un doctorado en arte, la única importancia de la vida era recobrar el amor y seguir siendo culta. Ser culta te daba la ventaja de ser feliz sin los demás. Leías un libro y lo disfrutabas y no tenías que contar con nadie para hacerlo. Recobrar el amor era más problemático y en eso pensó al encender el televisor y recibir las noticias de la BBC respecto a los disturbios en Hamburgo a propósito del G 20. —Con los disturbios de aquí me basta y sobra— y apagó en seguida la TV. Colocó a todo volumen el aparato de sonido. Buscó su Iphone y el número de Esteban Caledonia a quien nunca había conocido sino había visto. Cuando Esteban atendió, ya estaba sonando la obertura de «La forza del destino» en la versión de James Levine y la Orquesta de la Opera del Metropolitan y del otro lado decían alóooo... alóooo y quién es, repetidas veces y ella no mencionaba frase. Esperó que la pieza cobrara cuerpo y dejó que la música sonara. Finalmente, colgó la llamada y bloqueó el número telefónico de Esteban para no tener su llamada de vuelta.

María Silvia tomó un taxi en la Bourdonnais que enseguida subió con la regocijante mañana hacia la avenida Bosquet, no cruzó el puente del Alma ni se desvió hasta la avenida Montaigne donde debía recoger unos zapatos en Dior pero una vez más, María Silvia recordó su lectura de Cortázar y el París de necesidad que nunca había vivido a la vez que trajo a colación el capítulo estremecedor donde muere Rocamadour, y María Silvia se acordó de que Rocamadour es también un tipo de queso de Quercy que le encantaba a su padre y que lo comían mucho en ese apartamento enorme que era la envidia de todas sus amigas con apartamentos en París pero todos liliputienses, que ahora le pertenecía y en el que se crió como se crió en Caracas. ¿Y por qué Cortázar escogería el nombre de un queso para el hijo de la Maga que nunca mostraban y era como un bebe de Rosemary, antes de que apareciera el bebe de Rosemary, no por diabólico sino por raro y tal vez deforme para la literatura latinoamericana? El taxi tomó la rue Cler hacia la avenue de la Motte—Picquet siguiendo por el boulevard de la Tour—Maubourg hasta la avenida Franklin Delano Roosevelt y enfiló a la avenida Matignon casi hasta el final donde cruzó a la derecha hasta el número 112 de la Faubourg Saint—Honoré donde el taxi dejó a María Silvia en el Bristol donde su primo y banquero la esperaba en el Café Antonia. María Silvia pidió un club sándwich vegetariano y agua gasificada. Su primo un expreso y sin mucho preámbulo le dijo: —Te cité aquí porque la semana pasada intentaron cobrar un cheque por una suma importante de tu cuenta. Te falsificaron la firma. Fue un rumano que ya deportó la policía. Este es el cheque. Es una cifra grande, María Silvia. Hoy alguien me pidió veinticinco mil dólares para una causa en la que creo, dijo ella. —Anótame sus datos acá. ¿Qué tanto conoces a esa persona?— Desde hace unos meses. —¿Qué causa es esa que vale 25 mil dólares?— Liberland, contestó ella. —No sé qué pueda ser eso. Sólo te recomiendo que saques nuevas chequeras, desconfíes de todo el mundo. Investigaremos al sujeto de los veinticinco mil dólares y sugiero que te busques una afición más coherente y menos costosa. ¿Qué ha sucedido con el marido que tenías y con tu fotografía? Su primo pagó la cuenta. —Te espero mañana en el banco—.La mañana que comenzó rotunda y celebratoria pasó a convertirse en un almuerzo interrumpido. Regresó a su casa para desconfiar de sus recientes seguridades. Además, no tenía llamadas en su contestadora, el Iphone parecía haberse muerto y Caurimare González no movió la cola con tanta emoción como usualmente lo hacía.

Las clases se habían acabado para Esteban. El semestre había sido accidentado. El país estaba paralizado y Esteban sentía un desgano creciente por todo. No había ni siquiera decidido dónde se iría de vacaciones. Quería salir un tiempo pero hacerlo solo no lo convencía. Tenía muchos amigos y familiares en el exterior. Podía hacer una gran visita intercontinental. Si saltaba a algún lugar, procuraría no tocar Francia. Nada menos aconsejable que un encuentro azaroso con María Silvia y ahora que me había estrujado en la cara que tenía pareja, una palabra que siempre había tenido por roñosa, menos que menos podía tolerar la mínima posibilidad de encontrármela apechugada con un extranjero cualquiera. En el caso de las mujeres que terminan con gente como uno, los sustitutos son bastante detestables y muy mediocres. Este debe ser un impresentable salido de las madrigueras de Rotterdam con olor a borracho, orín de puerto y cerveza en estado de descomposición. Seguramente un individuo fanático de alguna barra brava de homicidas futbolistas de los que gritan consignas contra la escuadra enemiga. Muy probablemente con un empleo inferior, cartero o quizás policía, con el perdón de los carteros. Ser policía es una profesión no apreciada por nadie salvo por la policía. Todas las policías del mundo son odiadas por igual. Los niños que de niños dicen querer ser policías deben ser tratados con la mayor prisa por un especialista. El individuo en cuestión debe tener las peores maneras al comer y seguramente agarra el pollo con las manos. Puede también que lo haya reclutado del sector académico que resulta tan vulgar como el anterior: un profesor de algo tan deplorable como Teoría Literaria, con un fárrago de pedantería francesa y corrección política de manual. Un defensor de Barthes y de Derrida, un sujeto peligrosísimo en resumidas cuentas, con unos gustos pequeño burgueses de cafetería foquista y de esperanza en la izquierda mundial. Quién sabe si con la foto maldita de Korda colgada en su despacho. «El hombre más completo de su tiempo» llamó el lameculos de Sartre a ese genocida pampero—caribeño. Con la posibilidad de encontrarme en La Méditerranée de París, al momento de disfrutar de mi boullabaise en los platos diseñados por Jean Cocteau, y hallarme frente a frente a este dúo tóxico era motivo para huir de esa ciudad que preparaba un atentado personalísimo contra mí. No, no, cabeza fría y a salvo en Caracas a pesar de nuestras propias revueltas interminables. Y estaba la adivinanza que debía resolver. Qué aproximaciones tan extrañas estaba recibiendo. ¿Eso tendría algún desenlace como las protestas de calle? Y me ponen la fuerza del destino. No entiendo nada de esto. Estaré siendo movido por algún destino. ¿Estaré una vez más siendo narrado por alguien a quien también lo están narrando?

Agatha tomó el casco integral y prendió su moto de alta cilindrada. Verla sosteniendo ese animal, fija ella en sus botas alemanas de cuero, era un espectáculo. La segunda vez que la secuestraron le devolvieron la moto y no cobraron rescate porque los convenció de que con ella perdían su tiempo. Nadie sabe cómo hizo y casi nadie le cree. Fue tan terca y encantadora que hasta le dio el número de su casa a los plagiarios por cualquier cosa. Agatha realizaba avalúos y ocasionalmente escribía artículos para revistas en el exterior. Se había hecho un nombre y una fama de atrevida que trataba de ocultar porque a pesar de su aspecto arrollador seguía el libreto de un bajo perfil. En realidad era que no soportaba a nadie y menos a los incultos y a los aburridos. Con su esposo había roto definitivamente y nunca más se habían hablado ni tropezado. Todo fue resuelto por abogados que habían terminado acuchillándose entre sí, según su propia expresión. Sacaba la moto con mayor frecuencia en esos días por los plantones y trancazos de la ciudad, que cerraban el paso a todos menos a las motos. Debía ver a unos herederos que querían consultarla porque decían tener unas obras de gran valor que no podían detallar por teléfono. Por el nombre de la urbanización, Agatha conocía de antemano que nadie en ese vecindario podía guardar tesoros pictóricos. La intuición no le fallaba en esos casos pero nunca se podía asegurar ya que el hábito no hace al monje. Apenas recién disipadas las avenidas, la ciudad le pareció un vacío total, un experimento adelantado por un desolado De Chirico que había convertido a Caracas en una alucinación fantasmal. Para fantasma el mío. Cuando ella y su marido compraron la casa, se la adquirieron a una viuda cuyo marido se había muerto en la casa después de haberla construido. La gente de servicio juraba que el antiguo dueño se aparecía hasta vestido de tenis y a veces Agatha sentía que la seguían al subir la escalera. Una vez su esteticista, que se las echaba de vidente, le dijo que por supuesto que había un espíritu, que además se aburría y que la acompañaba a ella a todos lados. Agatha se encantaba con el cuento y sostenía que en su casa vivía el fantasma de Canterville en su versión caraqueña. Al fantasma le atribuyó que los secuestradores no le hicieran daño y a veces hasta le decía cosas al espanto. Ese día encendiendo la moto le advirtió: no vas a poder acompañarme hoy porque quiero salir de esto rápido y seguramente lo vas a arruinar todo. Minutos antes de arrancar y colocarse su casco, se había dejado correr estratégicamente unas gotas de Chanell Chance.

Estuvo molesta casi una semana. Las averiguaciones en el banco no lograron aclarar si Hasso tenía o no antecedentes. Todo le parecía sospechoso. ¿Por qué ese súbito interés en pedirle dinero? Especialmente esa cantidad. El holandés no apareció en una semana y eso la irritó aún más. Transcurridos diez días, telefoneó desde La Haya diciéndole que había tenido que resolver un asunto pero que se verían en París ese fin de semana. Ella le pidió que no la buscara más, que seguramente él era un estafador buscando aprovecharse de su dinero. Él fingió no entender y le preguntó si estaba sufriendo de los nervios o si estaba sufriendo de alucinaciones por el ocio. Eso la irritó muchísimo más. Hasso le dijo que los promotores de Liberland, la plana mayor estaba interesada en conocerla. María Silvia le pidió definitivamente no llamarla más. Él volvió a fingir no entender nada y entonces ella le colgó el teléfono insultándolo. Bloqueó su número y buscó un cerrajero para cambiar las cerraduras de su apartamento a pesar de que nunca le había dado llaves. Bajó donde el conserje portugués y le pidió no dejarlo entrar nunca más ni que dijera lo que dijera. Ese día le pareció que algo andaba mal. Que sus decisiones no habían sido las correctas y que algo no terminaba de cuadrar. A María Silvia si eso le sucedía, inventaba alguna actividad. Telefoneó al número de contacto de Hasso en Holanda, el mismo número que él le había facilitado, más allá del móvil. Aparecía desconectado. Buscó una agencia de detectives en París: Pinkerton de Francia, Trabajos Confidenciales. Hizo una cita con ellos. Les llevó fotografías, nombres, direcciones, teléfonos, profesiones. Hasso se presentaba como máster ecólogo de la Vrije Universiteit de Amsterdam. Pactó con ellos el monto de la investigación y comenzó a pensar hacia donde escaparía. Entregó toda su información y volvió a fumar. No se perdonó recaer en el vicio después de tantos años. Ella misma les decía a los fumadores que eso había pasado de moda. Hasso la llamó muchas veces y nunca le respondió. El conserje le informó que había pasado por allá. A los días la llamó el detective de la agencia esta vez como impostando un acento. Le dijo que recibiría un mail con la información que habían logrado recabar. Le dio las gracias por haberlos contratado y colgó apresurado con una falta de interés que parecía convertirse en indiferencia atroz, como diciendo que se había perdido el tiempo, y que aquello no era propio ni siquiera de las peores novelas de detectives que ya nadie leía. Eso fue lo que le pareció percibir a María Silvia cuando vio el mensaje nuevo de Pinkerton de Francia, Trabajos Confidenciales, acomodándose en su bandeja de entrada con el sonido de un trino.

Antes de poner sus notas en las actas, un profesor debe lidiar con quienes no aceptan la realidad. Es un problema de carácter ontológico: una representación práctica del dilema de la existencia desde Parménides hasta Heidegger. Esteban como profesor se declaraba muy complaciente. Siendo que los alumnos se ponen su nota y escogen su desempeño, Esteban los complacía. Repetía en clases: si usted se plantea como meta sacar 03 puntos, yo lo voy a complacer y se lo otorgaré. Claro, que se trata de voluntades no racionalizadas porque el que sacó 05 como el que obtuvo 03 y quedaron aplazados, sienten que en algún momento el proceso del deseo ha rescindido sus pactos con la realidad produciéndose de inmediato una desilusión, un desajuste momentáneo con lo que es. Entonces ocurre la ambición de transformación de la realidad presente como de la ya ocurrida en términos de sostener su integridad. Ya hemos comentado de la simultaneidad del tiempo de Priestley pero ha habido pocos casos de alumnos que consigan manejar ese tipo de información totalizadora. Y entonces llegan a tu oficina otorgándote el deseo de que el 9.4 se convierta en diez al erigirse en 9.5, y el profesor Esteban Caledonia Garcés, les responde desentendido del reto de integrar los diversos tiempos fragmentarios en la unidad perfecta: profesor, alumno y espíritu santo: ¿Y dónde ve usted en este recinto la décima a que ha hecho referencia? Porque yo no la veo y me parece que su décima debe guardar un parecido impresionante con los universales de Ockham, que son abstracciones que viven en las mentes y en los deseos de los hombres pero que no se avienen a lo concreto. Si usted encuentra esa décima en este cubículo, yo se la obsequio. Entonces regresan a lo concreto y piden una reconsideración de la nota, que equivale sin más a que le regales la nota que falta. Y nuevamente el profesor Esteban Caledonia Garcés se niega a facilitarlo y responde como los recibos de los puntos de venta: transacción fallida. Es difícil, según el profesor Caledonia conciliar los mundos de lo abstracto y de lo concreto. El profesor de veras lamenta no tener el talento de la iluminación y lo extra—sensorial para poder reconocer décimas en su oficina o presencia sobrenaturales. Su única referencia en ese sentido es el poeta William Blake a quien Dios tuvo la cortesía de aparecérsele a la tierna edad de cuatro años en 1761. Como puede suponerse, dadas las ocupaciones del Creador, las apariciones cambiaron para dar pie cuatro años más tarde a la del profeta Ezequiel y de todo tipo de ángeles y arcángeles en lo sucesivo. Pero el profesor carece de estas habilidades y ruega a sus alumnos para discutir sus calificaciones que se reduzcan con exclusividad a los límites del universo tangible.

Es un auténtico Calder, mi abuelo lo compró en la galería que lo representaba en los años cincuenta. ¿Tiene usted la documentación? Preguntó Agatha. No la tenemos pero eso se consigue. —Pero no la tiene actualmente—dijo ella—. Tiene muchísimo valor —dijo el jefe familiar, a quien todos llamaban doctor quien sabe por qué cómica razón. Señor Pedralbes —dijo Agatha—. Prefiero que me llame doctor, si no le importa, contestó el doctor. Muy bien doctor Pedralbes. No, no, sólo doctor, sin el Pedralbes. Muy bien, doctor, tenemos necesidad de contar con los documentos de adquisición de la obra para estimar su valor. Sí, como le dije, yo eso lo consigo ya porque el óleo es muy importante. No es un óleo, doctor, es un gouache. ¿Un qué? Un gouache es una pintura que se consigue diluyendo el color en el agua. Una aguada. Fíjese que es opaco. —Yo lo veo muy claro. Fíjese bien —le replicó ella. El Calder era lo único probablemente de valor. Lo demás eran muñequitas de un pintor serial, unos paisajes quién sabe si adquiridos en una feria del llano y piezas de Lladró por todas las esquinas. —Tengo también unas esculturas españolas de quijotes y las armaduras tamaño natural. Aquí está el inventario: platos de Limoges, una vajilla completa de Rosenthal, un juego de cubiertos de plata peruana certificada, tallas de artesanos andinos, marfiles tallados de la China, un bar en forma de globo terráqueo, espadas toledanas, esta es la réplica de la del Cid, unos paisajes de Golding, unos auténticos calendarios aztecas adquiridos en México, unos lienzos españoles que describen la vida de los gitanos, unas alfombras de alpaca, tres tapices de Luis Montiel, un teléfono antiguo de porcelana pintada a mano, diez alfombras persas. Agatha lo interrumpió: Lo único que puede interesarme es el Calder. Cuando consiga los papeles, envíemelos por el teléfono. Aquello le pareció ofensivo al doctor quien la dejó sola y se fue a su despacho dejándola en medio de sus familiares que lo llamaban doctor. Usted no entiende señorita, debemos viajar al extranjero y radicarnos en el estado de la Florida y no vamos a rematar nuestras pertenencias de toda la vida. Hay que ver lo que significa haberse partido el lomo en este país, en el que ya no se puede vivir porque de aquí raspamos como sea antes de que esto se convierta al comunismo. Yo no voy regalarle estos bienes muy costosos a cualquiera. Me dijeron que usted organizaría la venta. No señor, no doctor. Yo hago avalúos de arte. —Bueno yo le mando el título de propiedad, no se lo prometo para estos días, voy a tener que buscarme un detective para ubicarlo y ahora si me perdona debo hacer una llamada telefónica de urgencia al exterior.

XI.
EL DOCTOR POZZI EN CASA

Querida Gata,

Hay 105 tonalidades de rojo y todos deberían significar amor, pasión, fuerza, energía y las explicaciones que se encuentran en la sección de tips sentimentales de las revistas de consultorio. Es el color de la vida que es el color de la sangre, aunque cuando la sangre brota, se pone en peligro la vida. Tal vez ese sea el verdadero significado del rojo, exhibirlo para recordarlo e invocarlo. Por eso se regalan rosas rojas, que son flores para la vida entre dos. El rojo también es el color de los commies así como lo fue el de los godos conservadores del siglo XIX en Venezuela. Sobre el rojo reposan la hoz y el martillo y se han justificado los mayores crímenes contra la humanidad. Los más grandes genocidas de la historia han cometido sus crímenes detrás la bandera roja. No hay indiferencia en el rojo. Es un tono que puede pasar por todo menos de incógnito. Quien se encuentra una mujer con un vestido rojo en la calle lo arrastra la curiosidad, la emoción interna, el estupor, un escalofrío cerebral, las ganas de perseguirla y cornearla. Te sientes en la plaza de toros y eres el corneador pero provocar al rojo es también equívoco y que lo digan los miuras de 700 kilos. Ante el capote o la muleta roja ocurre el engaño: el toro embiste, el espíritu del corneador arremete, el rojo conduce la sinuosidad, la bestia se engaña con verónicas, chicuelinas, falleras, gaoneras, pases de pecho, y naturales. Detrás de la muleta se esconde el estoque y el toro es asesinado cuando su vista se arrincona en el rojo. Y entre la ceremonia se asoman los borbotones de la sangre. Y estalla la muerte, el pase del desprecio. Debo responder a tu segundo acertijo. ¿Cuál es el cuadro del pintor americano que pinta a alguien en rojo? La pregunta me intriga porque me pone curioso que quieras también vestirme de rojo. ¿A qué viene esto? ¿Qué clase de faena te impones? ¿Entre qué muleta me quieres atrapar? ¿Vienes vestida de luces y sin capote y sin muleta? ¿O soy yo quien tendrá que torearte esta tarde? Porque la tarde es la pompa del rojo y el corneo.

Se me hace fácil contestar la pregunta porque he conocido ese cuadro y a ese pintor desde hace muchos años. Me resulta uno de mis muchos favoritos. Nunca he conocido el lienzo directamente. Pero lo he contemplado en libros y en este exactísimo instante en que te escribo estas líneas para tu email, lo tengo frente a mí. Debo comenzar diciéndote su fecha: 1881. Cuelga en la fundación Armand Hammer en Los Ángeles. No he visitado esa ciudad. Hace poco recibí una reconvención de alguien cerca de esa localidad y no me provoca ir. Mark Twain dijo que el invierno más cruento de su vida fue un verano en San Francisco. Volvamos a tu cuadro. Además, la obra me ha resultado muy sugestiva siempre. El barbado doctor Pozzi está en su casa. Viste una elegante bata roja que se erige como el centro de la atención de la composición. Detrás hay un cortinaje de damasco y la mirada del doctor huye hacia un punto lejano, más allá de cuanto lo rodea y distante de cualquier escrutamiento. Es una mirada racional pero apartada y desolada. No se interesa en disputarle certezas a la realidad. El doctor Pozzi si bien está en su hogar parece haberse mudado a otro territorio (¿Puede ser que tenga a alguien en la mente?) Conoces el dicho, Gata: el hombre tiene dos mujeres, la que tiene a su lado y la que tiene en la cabeza. El doctor Pozzi a despecho de su entereza, de su seguridad, toma distancia de todo. Su mano toca a su corazón con discreción. Es un hombre que se propone huir de donde está, llegar a un sitio que imagina o presumir que se esfumará hacia otro tipo de vida. ¿Irá a comprar cigarrillos para desaparecer?

¿Me quieres con esa bata roja o tú recogiendo la mirada del otro lado del lienzo, Gata? En lo que sí no te voy a complacer es calzando esas babuchas de emir oriental. Sólo he tenido bata de baño y también bastan las toallas para secarse. No salgo con batas a mi casa, menos rojas. Eso no está ni en mi intrepidez ni en el mercado. Tengo un sillón rojo de un mueblista danés de apellido Hannsen. Cada vez que me apoltrono en él me acompaña la sensación Pozzi. La figura del doctor Pozzi me parece un tanto delicada, lánguida. No pienso ser así Gatúbela. No estamos en 1881. El siglo XXI tiene ventajas incomparables, pero recurrir al XIX y a los modelos de John Singer Sargent para un cuestionario de personalidad es una deliciosa rareza que estoy más que dispuesto a seguir en esta autopista de escollos. ¿Termina esta autopista en ti? ¿O es como aquella película de David Lynch y su angustiante autopista perdida? Hoy en día hay pocos que miren una pintura escudriñando respuestas. Los museos son meras aficiones turísticas recorridas como un circuito de carreras queriendo ver todas las salas sin excepción. Hay quienes sostienen que les gusta ver cada uno de los cuadros sin olvidar ninguno. Al final deben tener un retruécano psicodélico entre Jackson Pollock y Piero della Francesca. Una obstrucción intestinal entre Tiziano y Basquiat. Una transfusión de plaquetas entre Juan Gris y Arcimboldo. Ojalá en estos tiempos el arte nos sirviera para algo más que el escapismo y pudiésemos comunicarnos de acuerdo a su pretexto. Que estuviéramos más pendientes de una exposición de acuarelas que de una resolución ministerial. Que el contaje de muertos en cualquiera de las batallas inútiles se sustituyera por las últimas noticias de la restauración del David en Florencia. Pero eso sería mucho pedir para este fetichismo online que nos amamanta de violencia y guerra a diario. Para ello tendríamos que repetirnos como el doctor Pozzi y dirigir nuestra mirada mucho más allá del cuadro. Estoy encerrado en mi casa sin poder salir. El paro general me hace estar aquí. He visto las noticias de asesinatos en los disturbios callejeros. No puedo con ellas. Hoy sí que me gustaría estar en 1881.

Tal vez estoy ansioso por conocerte de una vez. No sé por qué nos estamos restringiendo de hacerlo en un país tan violentado. Además soy yo el que debe someterse a pruebas. En medio de esta auténtica tierra baldía, ¿por qué no aceleramos las cosas? Así podríamos saber que tanta compatibilidad existe entre nosotros en esta hora cero. Estoy convencido de que ya tienes una idea más o menos aproximada de lo que soy. Y si no, recurramos al cuestionario Proust. ¿Te atreverías a contestarlo? Claro, el interrogatorio de un tipo como Proust encerrado en sus hoteles no aspira sino a las grandes respuestas. Contestaciones para gente glotona que apuesta a la interpretación de la vida como se juega a los naipes. Nada logosexual por cierto tiene el examen Proust. Sería bueno incorporarlo para aclarar las personalidades. Una vez más, nos vamos al pasado para venirnos al presente. Para sumergirnos y corrernos al actualmente.

El cuestionario Proust. Y yo contesto

- ¿Cuál es su mayor temor? No poder llegar hasta el final del relato sin terminar de escribir los ensayos que me he propuesto. Logosexualmente: no llegar al final del relato.
- El principal rasgo de su carácter: la persistencia y la persistencia de la memoria. Logosexualmente: rodear a la presa y tenerla a mi merced para luego rendirme y declararme su prisionero.
- La cualidad que prefiere en los hombres: la lealtad en la amistad. Logosexualmente: absolutamente ninguna.
- La cualidad que prefiere en las mujeres: la personalidad, la alegría, la inteligencia, la estética y a lo mejor, esta va de primera. Logosexualmente: el territorio entero entre los pies y la cabeza. Los pies me hacen perder la cabeza.
- Lo que aprecia más en sus amigos: saber que cuento con ellos en la hermandad. Logosexualmente: alegrarme al saber que no cuento con ellos.

- Su principal defecto: la impaciencia. Logosexualmente: la impaciencia para abrir los botones y los ganchos del sostén.
- Su ocupación favorita: coleccionar libros. Logosexualmente: la miradera.
- Su idea de la felicidad completa: me gusta la frase de *La guerra y la paz*: «Para ser feliz hay que creer en la posibilidad de ser feliz». Logosexualmente: respuesta anterior.
- ¿Cuál sería su mayor desdicha? No ser querido. Losexualmente: ídem.
- Si no fuese usted mismo ¿quién le gustaría ser? Siempre he querido ser y solo ser yo. Logosexualmente: no creo en la transexualidad.
- ¿Dónde le gustaría vivir? Estoy muy contento en el valle de Caracas pero cada vez que veo una de esas locaciones exóticas de las revistas de viaje, enseguida me traslado. Logosexualmente: en cualquiera de las casas de Hugh Hefner, sin el estorbo del anciano.
- Su color preferido: el azul marino. Logosexualmente: cierro los ojos y veo todos los colores.
- La flor que más le gusta: la rosa. Logosexualmente: la rosa del monte de venus.
- El pájaro que prefiere: la golondrina. Logosexualmente: ninguno.
- Sus autores favoritos en prosa: Borges, Mutis, Cortázar, Vila-Matas, Zweig, Auster, Murakami, Julio Camba. Logosexualmente: nadie aplica, menos que menos Monsieur le Marquis de Sade.
- Sus poetas preferidos: Eliot, Pound, Eluard, Saint John Perse, Apollinaire, Federico García Lorca, Rimbaud. Logosexualmente: no aplica.

- Sus héroes en la ficción: desdichados los pueblos que necesitan héroes (Bertolt Brecht). Logosexualmente: no aplica
- Sus heroínas de ficción favoritas: leer la respuesta anterior.
- Sus compositores preferidos: Bach, Mozart, Beethoven, Brahms, Mahler, Wagner, Bruckner, Saint-Säens, Richard Strauss, Shostakovitch. Logosexualmente: ya terminamos con lo logosexual.
- Sus pintores favoritos: Giotto, Piero Della Francesca, Rembrandt, Vermeer, Tiziano, Velázquez, Goya, Sorolla, Dalí, John Singer Sargent, Cristóbal Rojas y Arturo Michelena.
- Su héroe de la vida real: no hay cosa posible ni imaginable.
- Su heroína favorita en la vida real: leer respuesta anterior.
- El hecho histórico más deplorable: La revolución francesa, todas las revoluciones y todos los genocidios contemporáneos.
- La comida y bebida que más le gustan: las escojo al ver el menú.
- Sus nombres favoritos: Alma, Clara, Elizabeth, Bettina, Francisca, Federica, Julia, Vera.
- Lo que detesta por encima de todo: la envidia, la mezquindad, el odio.
- El hecho militar que más admira: no hay un hecho militar digno de admirar aunque tiente hacerlo con la batalla de Lepanto, al igual que deploro la derrota de la Armada Invencible.
- La reforma o cambio social más admirable: la igualdad ante la Ley. Es lo único verdaderamente considerable.

- El don de la naturaleza que quisiera poseer: la adaptabilidad.
- Cómo quisiera morir: en paz y a consciencia.
- El estado actual de su espíritu: en emoción.
- La falta que me inspira más indulgencia: la torpeza.
- Su lema: un verso de Borges dedicado a James Joyce, «Dame, Señor, coraje y alegría para escalar la cumbre de este día».

Hola mirón,

Está visto que eres impaciente. Muy impaciente, terrible y adorablemente impaciente. Y no hay apuro. Así que no te inquietes. Te encomiendas a que estamos dando pasos al filo de la navaja para acelerar las cosas. Que caminamos descalzos sobre brasas en un país a punto de estallar y que por eso tenemos que dar el gran salto. No hay grandes saltos: todo así en mayúsculas es engañoso y torpe. Cada cual camina sobre un filo o sobre un pasto verde de iglesia británica según su imaginación. La lógica colectiva francamente me aburre y prefiero quedarme con mis conclusiones sin «los casi todos». La prisa no es para mí. ¿Has roto muchos cierres en el intento Esteban? ¿Cuántos ganchos has desperdiciado? Tienes que saber aguardar. La prisa es un mal contemporáneo, francamente inadmisible e impropio de gente como tú. Todos parecemos llevarla y padecerla. ¿A dónde llegaremos con ella? ¿Hacia dónde vamos como no sea a lo que no controlamos y nos maneja? Vayamos despacio para llegar más rápido. Estamos cerca Esteban aunque todavía falta. Bastaría que te dijera mi nombre para que fueses a reconocerme en una red social. Puedes buscarme en Instagram. ¿Me hallarías? ¿O quedarías corneado en el intento? ¿Habrá muchas como yo? ¿Seré yo una en la multitud? Así como los cuadros se quedaron empolillados, apartados y alejados, no podemos permitir que ante lo único que nos queda para sobrevivir y sorprendernos que es la emoción, tengamos que renunciar a ella porque debemos pasar al siguiente nivel. Supongo que te gusta tomar bebidas alcohólicas. Si no lo haces, debes ser un sujeto de alta peligrosidad. No hay peor sujeto que el presume virtud o santidad. El pecador termina siendo un tipo honesto. Así que parto del supuesto de que podrías encontrarte con agrado con un single malt o un Calvados en el territorio de los digestivos. Y cuando habitas en el país de Auge, cuando has decidido ser natural de esa comarca vitivinícola, cuando tus pasaportes llevan el azul incuestionable de esa marca en tu pasaporte de viajero por el gusto, cuando tienes esa copa frente a ti con ese aguardiente de un color mejor que el ámbar, a ti no se te ocurre sino plantear una relación llevadera, lenta y paulatina con ese licor que se te instala y te otorga una indescriptible felicidad que guardas para ti y ahorras para el recuerdo. No querrías apurar ese vínculo que has establecido con tanto regocijo. Por qué rescindir esa relación con ese digestivo que te ha transportado a un estado sosegado y pacífico. Más allá de la cena de Menelao no hemos hablado de comida. Comer puede hacerse de dos maneras: para sobrevivir y para disfrutar. Quien disfruta, sobrevive aunque a veces no sea así, según las incansables asociaciones de dietistas y gente del fitness que alerta las 24 horas del día sobre los peligros que se encuentran en el plato. Pero el que come como un acto de digerir, no disfruta. El comer se convierte en una rutina vaciada de emoción. Una actividad de un renglón estadístico. Estamos hablando al margen principista de los recuentos de la FAO: eso quiere decir que hablamos panglossianamente como si estuviésemos en el mejor de los mundos que ya se sabe que tampoco era lo que quiso decir Voltaire. Espero que me sigas. ¿O no, Esteban? Tú que eres profesor de literatura, lo debes saber: los autores de las novelas no le dan importancia a lo que comen sus personajes. Tampoco es que deban escribir novelas gastronómicas para comelones compulsivos con servilletas alargadas pero estoy hablando de prestarle una atención al tema. Conozco a un escritor que se entrevistó por última vez con el que había sido su editor porque le aconsejó que incluyera recetas de cocina en sus novelas, que con eso iba a ganar más lectores porque había que hacerlas más comerciales. Y en un rapto de su erudición de oficina le nombró a *Como agua para chocolate*. Mi amigo le respondió que él no era Martha Stewart y que le importaba un rábano su opinión mercadotécnica. Mi amigo odia a los gerentes de mercadeo pero la contabilidad que le llevaban en aquella editorial no lo favorecía. Aquel editor terminó reciclando los libros del novelista orgulloso y se decantó por la autoayuda y mi amigo sigue escribiendo para los cuatro gatos que siempre lo han leído, a quienes tampoco muestra unos personajes ganados por el hedonismo culinario. En *La montaña mágica* se hace mención a la comida. En otra súper novela que me fascina, *El cementerio de Praga*, los conspiradores de Umberto Eco viven en una sola ingesta pero además de unos platillos de altura y elaboración. En una mesa podemos reconocer un modo de ser cultural y cada vez que tenemos un plato servido, estamos ante una historia contada por el gusto. Cuando hablábamos del arte, tenemos que ser precisos con la gastronomía porque hay quienes sostienen que la cocina es un arte y yo digo que no, porque la cocina es un patrimonio cultural de una comunidad, de un país, de una región. Es una especie de propiedad colectiva en el mejor sentido de la palabra: sirve a todos. Entonces no puede haber una apropiación individual que la someta a un proceso creador individual. Un pavo trufado es un pavo trufado como el pollo al Curry es el pollo al Curry –un manjar rodeado de una de las especias más sublimes y apetecidas-, y la salsa Thermidor es la salsa Thermidor. Por eso quien los prepara puede tener su dosis de cocción personal pero eso no genera derechos individuales. Anthony Bourdain nos dice cómo preparar los platillos que hace, no se ahorra ningún secreto, ni necesita ahorrárselos, porque es un bien común. Eso sí, nadie los va a preparar como él y como muy pedantemente dice «ni que quieras, serás uno de los nuestros». No es arte pero exige una destreza muy completa que además termina en un juicio personal. Voy al menú, pido las ostras Rockefeller, me las preparan, las como y doy mi opinión que probablemente solo me importará a mí. Y el mundo sigue andando como el tango, pero los platillos quedan como expresión de un ser nacional. Por eso que estos atrevidos que adelantan la llamada cocina de autor se estrellan con bastante frecuencia porque realizan maridajes un tanto forzados, en unas combinaciones jaladas por los cabellos. Sí Esteban, jaladas con j. Fíjate: no es común ni diario que una vietnamita se case con un francés, o que un miembro de la tribu sioux lo haga con una cubana, o que un japonés con una margariteña. Puede suceder pero no es lo usual.

Pasa lo mismo con la comida: que la comida nuestra no se debería combinar con un preparado indonesio, o la comida amazónica injertarla con la vasca. Ese es el error de nuestros cocineros, engañados por un falso concepto de la globalidad que los ha mareado y que han tratado de fusionar lo infusionable. Sigo pensando en que hay que seguir privilegiando lo nacional más allá de todas las ínfulas de creerse ciudadano del mundo con el carné de viajero frecuente por los fogones de la humanidad.

Entonces nos queda un punto pendiente por allí: otra tareíta que te pido. Claro, te quejas de por qué eres tú solo el que debe hacerlas. Bueno, nadie te obliga. Lo haces porque quieres. Tú lo has decidido. Podemos parar aquí si es tu deseo. Game is over y los jugadores se retiran. ¿Forfeit? Pero para que nos conozcamos, y no te mandaré de vuelta yo ningún cuestionario Proust de personalidad y mucho menos tu agregado logosexual para dejar en claro cómo soy porque además no tengo ningún interés en que me pre-conozcas, siento que me provoca más que termines estos encargos. Porque los estoy disfrutando Esteban para saber que será decididamente posible que el día que nos conozcamos sea sobre una base más sólida. Una base mineral, pero con variedades microcristalinas. ¿Sabes que tengo un nombre microcristalino? ¿Adivinarás mi nombre mi perdiguero? Ya quiero que me invites a comer Esteban Caledonia. ¿Sabes que me gusta tu nombre? Esa es una de las razones adicionales de por qué te escogí. Si te llamaras Ramón, Macario, Orángel, Humberto, Braulio, Efrén, Joel, Juvenal, Jesús, Alí, Aniceto, Baudilio, Oswaldo, no te habría ni volteado a ver. Pero esta invitación una vez más es una invitación creativa. Quiero que contestes a este email con la receta de un plato que vayas a prepararme a mí. El que tú quieras. Y me lo explicas. No necesariamente tiene que ser de alta cocina. Algo que te guste, que te apasione, que hayas hecho. Estoy presumiendo que cocinas. Que te haga ser ingenioso, que demarque un territorio culinario en ti. ¿Lo harás? Es posible que siga quedando poco. Tú lo puedes acortar. Quizá pueda comenzar a impacientarme. Creo que el día que nos veamos vamos a entender que lo que se impone son los individuos más allá de los países o los sistemas. Que tu base de pensamiento, tus valores culturales son los que te sostienen ante cualquier sismo de la historia. Pienso habitualmente en quienes se han ido de nuestro país. Los sostiene el modo como somos. Han sobrevivido fuera por la nostalgia de regresar. Quizás. Por eso no han roto el cordón umbilical. La vida es muy corta y todos tenemos derecho a diseñar un máster plan para nuestras vidas. Nada nos obliga a permanecer en un sitio. El nacionalismo es un producto diseñado para los idiotas. Pero se me ocurre que si me voy, cómo haría con el desarraigo. Me he preguntado esto muchas veces y no tengo respuesta. Haz que me arraigue en tu mesa de comensal. No me importará que no vengas con tu bata roja. Tráeme tu mirada entre las 105 tonalidades que nombraste. Que se me ha abierto el apetito y a veces soy voraz.

G.

XII.
UN DESTINO Y MUCHOS NARRADORES

Los lectores de William Faulkner que se hayan paseado por las páginas de *Sartoris* habrán trabado conocimiento con un sórdido personaje llamado John Sartoris, un calavera de cuantiosas posibilidades narrativas. Con crápulas y tarambanas los lectores establecen un vínculo amable y aspiracionalmente retorcido. El misterioso William Shakespeare no podía repetir en sus obras a un Macbeth o a Ricardo III pero sí podía darse el lujo de hacerlo con sir John Falstaff a quien hace aparecer en *Enrique IV, Enrique V* y en *Las alegres comadres de Windsor.* ¿Por qué? Porque es simpático, bebedor, tabernero y gozador. No se está cuestionando la vida al borde de las escaleras como Hamlet, carece de rollos con el padrastro, no es instrumento de la intriga como Otelo ni se expone ante sus cercanos como un fracaso ambulante como Ricardo II. A John Sartoris el lector lo va comprendiendo, lo estima, le dedica su cariño, condesciende a escrutarle de frente sus carencias y termina conmiserándose con él en su condición de perdedor errante que va atropellando a quien se le acerque. Los lectores tenemos ambiciones dentro de una trama. Siempre participamos y queremos hacerlo. Tenemos la soberbia de adelantarnos y aspirar a un desenlace. Damos vida a los personajes como hemos repetido con insistencia. Si los lectores damos esta vida, ¿cómo quedan los narradores? ¿O es una historia que les arrancamos a los narradores? ¿O será acaso que los narradores han aguardado a que lleguemos para hacernos entrega de los personajes en calidad de rehenes? John Sartoris lleva para repetir a Herman Broch, el «signo de la muerte escrito en su frente». Pero el lector se entiende con él, interpone sus buenos oficios, le ofrece amistad, hace buenas migas, y comete el peor desacierto que pueda llevarse a cabo: lo perdona. Y cuando cree que su indulgencia basta para salvarlo, el narrador lo aniquila. ¿O el autor? No creo. Pero que tampoco es el señor William Faulkner aficionado al Bourbon y nacido en New Albany, Mississippi, el 25 de septiembre de 1897. Digamos más bien que pueda ser el narrador y no caigamos en la identificación automática y ni se diga solidaria. En la dialéctica no siempre feliz entre autor y narrador, salen siempre ganando o perdiendo los autores pero nunca los narradores. Como narrador me gusta homenajear a los narradores. Les tengo el respeto que nadie les ofrece. Y que me perdone el autor con quien tengo un escasísimo y distante trato y a regañadientes escucho sus quejas en la lejanía. Tengo a los autores como unos sujetos muy mezquinos con los narradores. Los muy equivocados profesores de literatura, por allí anda uno repartiendo indulgencias, hablan en singular del narrador como si se tratara de un sujeto identificado por las organizaciones de inteligencia y contrainteligencia. Que no tiene escapatoria y que es exhibido ante nosotros como una presa cobrada y responsable de una trama que se ha desvelado. Nada más equívoco en esta taxidermia. Hay varios, hay muchos y a veces andan descontrolados. Siempre hay uno que termina imponiéndose. Puede apelar hasta el aniquilamiento porque carece de escrúpulos. Se trata del Jefe y sus subalternos. Me atrevo a decir que cada uno de los personajes tiene a su narrador o los múltiples que se merezca según su importancia y personalidad. Se tratará de una pandilla o uno solo, un solitario que no perdona. El cabecilla, el director del establecimiento. Saltarán lanza en ristre las profesoras especialistas en género con sus anteojos *vintage* con que es un criterio sexista, y que habrá que denunciar las metanarrativas ilusorias en el mundo de la corrección política, afirmando la irrenunciable existencia de las narradoras. Así es. Del mismo modo. Inequívocamente. En beneficio de la beata felicidad de los congresos de literatura, el turismo académico y las revistas arbitradas (pobres árboles derribados para cometer pulpa de papel para los pelmazos de las revistas indexadas) diremos por supuesto con la copa alzada de la inclusión post paradigmática, que abundan las narradoras. Zanjado el escollo, sigamos. A veces prejuzgamos sobre la base de una historia en proceso. Y queremos resoluciones en la medida de nuestra racionalidad repartidora y consensual. Los narradores tienen otra opinión y otra lógica. Para ellos, la opinión del lector es y será irrelevante. Los verdaderos narradores tienen desdén por lo que exija el lector. Para mí tampoco existe la consideración al lector, agrego, en mi condición de narrador. No lo repito más. No se toma ni se tomará en cuenta. La literatura no considera el gusto de los lectores ni le importa y quien reclame, que bote la novela por la ventanilla del automóvil. Quienes le hacen carantoñas a un lector modelo, son los escritores industriales, asociados con el mercado. Ya hemos hablado de esas mafias. La consideración es la de los narradores con un documento de identidad auténtico de sí mismos. Sin forjamiento alguno ni infiltrados alrededor. El narrador no es un tipo fácil y nunca lo será. Asume su reclusión y su desprecio por los demás. Vive en trascendencia de contingencia. Que la frase la recoja por favor un filósofo disfuncional y la desguace. Anda a su aire y resuelve sin tener que consultar el buzón de sugerencias. Son los primeros que repudian a aquellos gerentes, como corresponde. Como narrador he sido coherente, no me interesan los departamentos de relaciones públicas, capital humano, o responsabilidad social ni que se escondan bajo el *branding* o cualquiera de esas estafas retorcidas por los evangelistas de la compra al por mayor. *Personae non gratae*. Cada vez que me mencionan a estos impresentables, bajo el pulgar acelerando mi taquicardia perversa. A los narradores, su gusto y su arrojo les vienen de mucho antes: de la misma historia de la humanidad. Larga vida a los narradores justamente porque no tercian. Sólo los narradores idiotas hacen concesiones. Los narradores íntegros no exigen nada, se contentan con poco y dan tanto a cambio.

El hecho de que Hasso van der Weyden le hubiese recomendado veinticinco mil dólares de donación a María Silvia Dominici para Liberland, y que a María Silvia le hayan tratado de cobrarle un cheque por una cantidad importante, no quiere decir que Hasso fuese el estafador. Y que a María Silvia le afectara esa situación. Ella arrastró sus dudas por un momento. Construir esa historia fácilmente sería irresponsable para los narradores. Hay intereses ocultos detrás de esa resolución. Pero ellos tienen que tomar una decisión y María Silvia merece un destino a pesar de los narradores de Esteban. De hecho, el banco lo investigó con la mala espina de su primo banquero y no consiguió más que un cándido historial de ingenuote, de jugador de fútbol de tercera división, de colaborador de oenegés y de miembro de sociedades de ecologistas y cultivador orgánico espontáneo. Un tipo virtuoso de las narrativas contemporáneas, pues. Casi lo que llaman los anglosajones un *valedictorian* con su discurso de defensa preparadito. El tipo no podía hacerle daño ni a los buscadores de Google. María Silvia cumplió con lo prometido. No le escribió nunca más a Esteban y en algún momento de profilaxia digital, lo puso en la zona de sus sentenciados de Gmail. Esteban le envió un muy poco claro y convincente correo cuyo contenido no llegó hasta María Silvia. Parecía producto de una noche de debilidad en que te pides perdón por toda la existencia. Para todos, especialmente para los narradores, fue mejor que el correo se perdiera en el agujero negro del ciberespacio con la inhabilitación de por medio. En consecuencia y de cualquier forma, Esteban nunca se enteró de más nada. Pensó que su correo había precipitado el bloqueo. María Silvia y Hasso viajaron a Liberland con su fundador y ella no encontró más que un territorio inútil para especular y fijar discusiones. Allí no parecían habitar ni los cuervos. Pero no le dijo nada a Hasso ni al gordinflón pedante de la idea de Liberland al que pomposamente sus ayudantes llamaban Presidente, como si haberse encontrado con un erial y un charco fuesen suficientes para fundar una república con las agallas ecuménicas crecidas. Nunca donó tampoco ella los 25 mil dólares. María Silvia se impuso no involucrarse nunca más con Venezuela ni con su exmarido. Quería vivir su fantasía primermundista con todos los dispositivos post catastróficos. Cuando veía una noticia de su antipaís apenas le prestaba atención. Hasta prefería conversar en francés y viajaba con su pasaporte comunitario. Hasso comenzó a quedarse en su casa hasta que ya vivieron juntos. Todo el pasado parecía repudiado y quedaba relegado y sepultado para siempre y ella misma se anunciaba la llegada de su nuevo tiempo curado de contradicciones suramericanas. Ya era la ciudadana del mundo y quién sabe si ese mismo porvenir, o sus narradores, le conceda el milagro bastante europeo de ni siquiera identificar en un mapa la posición de cualquier país suramericano. Muy civilizados estos suizos y franceses, ingleses e italianos, pero basta que los cuestiones delante de sus narices con la asignatura geografía universal para que piensen que Venezuela limita con Nicaragua, que El Salvador le pertenece a Brasil, que Quito es una gran pirámide azteca o que el Paraguay es un ave de muchos colores. O que tiene un amigo que vive en Buenos Aires cuando les dices que eres de Caracas, Venezuela, y que como tú pasas por allí, no será que lo conoces y le envías saludos. Y todos estos cerebros seriales, graduados con el mejor *Abitur* o el *baccalauréat*, piensan que todos vestimos de guayucos y que bastan cien dólares sobre la mesa para todas las chicas se quieran ir a la cama contigo. La globalización tiene sus ignorancias muy bien repartidas en este desportillado planeta. María Silvia seguramente se hartaría de Hasso, se buscaría otro o hasta otra. Pero la cercanía a sus horas próximas, a las que se dirigía como destino, no las conocería Esteban por los siglos de los siglos. Ya no se existirían mutuamente. El impropio reflexivo daría cuenta del porvenir ya como un problema entre sus narradores.

Las gemelas Pinkerton convocaron a las montañistas y le permitieron a Estoooo asistir a la primera sesión en que se requería la novela leída que por supuesto ni siquiera la mitad de las montañistas lo había hecho. Estoooo ni la había comprado. Esteban lo notó. Esas cosas siempre se saben y no hay que hacer preguntas ni siquiera. Mann trata de crear un escenario de discusión en el Berghof trayendo en un contencioso lo de siempre: el norte y el sur, pero que entre el inexperto y en formación Hans Castorp y el ducho y acostumbrado Settembrini se traducía entre la civilización de los protestantes y el mediterráneo de los católicos, no en términos religiosos sino de costumbres. De método, de forma de ser. Lo septentrional y lo meridional. Mann al principio la concibió como una novela corta pero vaya que se le fue las manos porque escribió una novela para conversar de temas estéticos, filosóficos, artísticos y hasta esotéricos. Si hasta el *Frei und Hanseatic* Joachim Ziemmsen, el primo de Castorp, se aparece a través de un médium después de muerto. No en balde los protagonistas aclaran muy bien que el *Zeit*, el tiempo —esa Z alemana es altiva y extraordinaria, y como el resto de los sustantivos germanos se les honra con la consideración de la mayúscula— no se mide igualmente arriba que abajo, en lo alto de la montaña que en el piedemonte o el nivel del mar. Recuerden lo que mencionamos de Hillary y Norgay. Que el lento transcurrir de arriba no tiene nada que ver con el cálculo de abajo. Mann ha urdido un Olimpo entre los Alpes suizos para no tener que rendirle cuenta a los relojes continentales. El tiempo del Berghof contiene su propia cuenta y el objetivo es que un hamburgués que llega de visita porque su primo convalece, permanezca allí, no tanto para ser sanado físicamente porque Castorp queda además atrapado (¿o involucrado?) y se enferma. Sino para ser formado. La enfermedad de Castorp no es la fiebre que no baja entre los descorches de las botellas de oxígeno del doctor Behrens sino su inexperiencia en el manejo de la civilización. No es el termómetro aguafiestas sostenido por enfermeras helvéticas sino la fatalidad que lo guía y sus muchos narradores que lo aconsejan. Castorp discurre con seguridad de navíos y de reglas, de horarios y astilleros, de banderas y libros de contabilidad pero desconoce cuál es su papel en el mundo. Los narradores de Settembrini se aprovechan de él, siempre hay un complot de narradores, —un destino y muchos narradores ya escribimos pero repetimos y seguiremos repitiendo—, y lo obligan a permanecer varios años en el sanatorio, separando los rusos distinguidos de los impresentables y no atreviéndose a llegar hasta la lánguida de Claudia Chauchat que da unos portazos deliciosos y tremendos que asustan al taciturno Hans. Todos pensamos que en algún momento Hans, luego de que supera sus miedos, llega a tener un encuentro erótico con Claudia pero la conjura de los narradores no nos permite llegar firmemente a conclusiones esclarecedoras. Tal vez pensamos que la desnuda con su consentimiento o no en alguna habitación vacía y desinfectada y consuma un sexo apresurado y temeroso y quizás madame Chauchat está pensando en el Daguestán y los rusos tratantes como su marido sin formas en la mesa o en el sobrevenido amante holandés —que intromisión esta, la de los holandeses— que traerá de vuelta para escarnio y tristeza del tímido y sufrido Hans Castorp. ¿Qué pensaría Claudia en medio de la posible penetración del ingeniero naval en aquella montaña aristocrática? ¿Disfrutaría la tuberculosa Claudia de la cabalgata que Castorp comete sobre su atribulado cuerpo probablemente en silencio y sin escándalos? ¿Le habrá dado Claudia un portazo con sus piernas? ¿Estaría Castorp estrenándose con Claudia en las lides sexuales o habría sido alentado por su correctísimo y próspero abuelo a desvirgarse con una alegre e incorrecta danesa llegada a la vecindad de Altona? ¿Sospecharía el doctor Behrens y la enfermera jefe de esos encuentros paralelos y transversales? ¿Los habría alentado en complicidad con la propia Claudia? ¿Sería sobre una *chaise-longue*? ¿Quiénes más disfrutaron el carnaval así esa noche? ¿Quiénes ejercieron la lujuria? ¿Pensarían los pacientes moribundos en ese intercurso protegido por las eficientes estufas suizas? Todos estos son los secretos no compartidos por el narrador. Allí sí que había un jefe. La enseñanza de Castorp se la dan dos mediterráneos, Ludovico Settembrini y posteriormente Leo Naphta pero terminan siendo inútiles porque el alumno finalizará en la guerra, invocada por el Estado al que sirve y que tanto ha sido despedazado por las discusiones entre los mismos Settembrini y Naphta a lo largo de los larguísimos años en que transcurre esta novela que en principio iba a ser brevísima o breve. Todo esto duró más de una hora y media y hasta hubo cabeceos pero, ¿cómo no iba a haberlos, si la lectura no fue hecha más que por unas pocas personas? Entre ellas las gemelas y una facción de las vonkarajanas—klemperianas que se habían integrado. Las esposas de los furtwänglerianos no habían mostrado el más mínimo interés por Mann. ¿Sería por la amistad de Thomas Mann con Bruno Walter? Al final Esteban preguntó quienes se habían finalizado la obra. Todas levantaron la mano. Y al individualizar, alguna dijo: bueno casi todo, otra: no todo, otra: algo. Estoooo intervino para aclarar que no la había leído del todo pero que el propósito era compartir y conocer el alcance de la narración de Thomas Mann. —Quiero proponer, dijo por último, que leamos una novela que se acaba de publicar en Caracas, porque hay que ocuparse de los venezolanos y no sólo de esos nombresotes como el tal Thomas Mann. También estamos los latinoamericanos. «Aquí somos todos latinoamericanos», insistió recordando a su coja y sin la más mínima culpa de abasofilia, ya que también habría una abasofilia latinoamericana. Hay que reclamar la latinoamericanidad. Perdón por la propuesta: yo sé que algunas de ustedes conocen de mis inclinaciones literarias. Por eso, me disculparán el atrevimiento y voy a seguir presionando, pero quiero que en este grupo se lea la recién publicada novela *Ve a comprar cigarrillos y desaparece*—. ¿Quién es el autor? Preguntó una de las Pinkerton. —Soy terrible, malísimo, muy malo para los nombres pero lo averiguo—. Esteban dejó de dirigir la charla, recibió un tímido aplauso de las *yaestamoscansadasdelBerghof* y se fue con las gemelas a comer, y se cuestionó si servía de algo esto de andar organizando un club de lectura para gente que no leía. Se sintió más vulnerable que nunca, pensó en el recuerdo inexistente ya ido de María Silvia y repugnó su existencia o su no—existencia. Comenzó a invocar a la mujer de las cartas y en el nombre que podía tener proveniente de su existencia microcristalina. ¿Dónde estarás Microcristalina y por qué me pones tantas obligaciones cuando eres parte de mi vida y dentro de poco estaré añorándote sin conocerte? Esteban se sintió como un desamparado Hans Castorp y como si madame Chauchat hubiese desaparecido por toda la eternidad pero sin él estar dispuesto a marcharse a la guerra y suicidarse institucionalmente ante la soledad. Su humo de metralla jamás sería el de los soldados del frente. De hecho, carecía de talento para todo tipo de metralla. Pensó en la canción de Sinatra: *I´ve got you under my skin* cantada por Katharine MacPhee y pidió la carta que ya estaban revisando las golosísimas gemelas mientras saboreaban sus Cosmopolitan servidos con vodka doble y siempre Stolichnaya.

Gata, nuevamente. ¿Y hasta cuándo?

¿Quieres que te narre un arraigo? ¿Y gastronómicamente? ¿Te tendré sentada frente a mí imaginariamente realizando los ejercicios de la ingesta? Te ofrezco el recuerdo de la una y media de la tarde de mis siete años cuando llegó una humeante polenta un día de mi cumpleaños. Más allá de la polenta te ofrezco la memoria irreductible de aquel mediodía en el que se condensa toda mi infancia. ¿Quieres que te sirva un signo de interrogación, un punto y coma, una exclamación de aquel mediodía extraordinario que ha habitado en mí desde entonces? La polenta es un plato muy caraqueño, de las casas, como casi toda nuestra comida. No ha salido de los fogones íntimos y familiares. Es una masa dulce de maíz que aloja el pollo, las pasas, las aceitunas, en esa tetralogía fundamentalista de nuestra mesa: dulce, salado, agrio y picante, «mezclados plácidamente» como ha escrito Armando Scannone. La mesa que nos corresponde, especialmente la caraqueña y aquí hablo de mi terruño, es un talento desperdiciado porque sólo la conocemos nosotros. Todos creen que la mesa venezolana es la dictadura de la arepa. Y no es así. Y en los restaurantes venezolanos de fuera, sitios a los que le he notado una tristeza circulante, gastronómicamente pobres hechos para nostálgicos y desarraigados, sólo ofrecen arepas, empanadas, cachapas o batidos de fruta. O el pabellón que es nuestra presentación culinaria más apurada y engañosa. Pero nadie exhibe una olleta de gallo, un pastel de polvorosa, un asado criollo, un albondigón, unos pimentones rellenos, un chupe, una pisca andina, unos bollos pelones, un chivo en coco, los pudines de pescado, las cremas de espárragos o un queso de bola relleno. Ni hablar de los dulces, buñuelos, quesillos, suspiros, merengones de todas las frutas, dulces de durazno o de ciruelas pasas, los aliados hechos de tuétano y hasta la simple jalea de mango. Esta comida nuestra, la caraqueña, se perfeccionó con la migración y el contacto cultural. Por eso es inclusiva en sus ingredientes y está muy distanciada de esa perversa invención inexistente que algunas debutantes incultas quisieron entender como mantuana. Nuestra comida se parece a nosotros. Dime de qué te alimentas, cómo comes, cómo son tus cubiertos, cómo los manejas, cómo es tu relación con la servilleta de tela, el modo como te aferras a tus manteles, cómo cargas una copa, y te diré sin escatimar palabra alguna hasta la muy última de todas las palabras, te diré exactamente cómo eres.

Este es el momento en que Esteban, Esteban Caledonia Garcés, debe centrarse en el pedido que le han solicitado. Le corresponde inventar, organizar, ambicionar un platillo. *La única inmortalidad a la que aspiro es inventar una nueva salsa.* Con esta frase Oscar Wilde se salía de una obra un tanto aburrida que escribía para tomar aire. Tal vez lo hizo aconsejado o manipulado por alguno de sus narradores. Imaginen qué clase de narradores pudo haber tenido, que hasta se burlaban de él mismo. Esteban debe afanarse en construir un arraigo a través de un plato que proponga. La polenta tiene para él su arraigo pero el narrador no le habló claro. Lo indujo a meterse por el terreno de la lección gastronómica cultural. La mujer de los emails está esperando otra cosa. Lo sabemos. No lo vamos a dejar solo y le haremos creer que es de su propia cosecha el plato que ofrecerá. Le pertenece a un narrador muy cercano y Esteban confunde la realidad porque sostiene con una vehemencia inusitada que los párrafos que vienen son de su propiedad. Incluso repite en «sus» párrafos una de las frases que hemos asomado acá. No le llevemos la contraria, especialmente en estos momentos en que todo está a punto de estallar.

Las caraotas blancas de los viernes[6]

He tenido siempre una debilidad por los granos, especialmente las caraotas blancas y las rojas. Dos de los platillos por los que siempre suspiro son la fabada asturiana y el cassoulet. Los asturianos la preparan con

---

[6] Ingredientes: 1 kilo de caraotas blancas artesanales. 100 g. de ají dulce, 100 g. de pimentón. Cilantro al gusto. 1 cebolla grande. 5 dientes de ajo. 7 chuletas ahumadas. 7 chorizos ahumados especiales para granos. Las caraotas se colocan en una olla de presión en 2 y medio litros de agua durante 40 minutos. Mientras transcurren los 40 minutos de la olla de presión, el pimentón se pica en trocitos lo mismo que el ají dulce y la cebolla. Los dientes de ajo se machacan. Se sofríen todos en aceite de oliva durante unos cinco minutos. En una tabla se pican las chuletas y los chorizos en trozos y se fríen en una sartén con una cucharada de aceite de oliva durante 10 minutos. Luego de que hayan ablandado las caraotas, se pasan a una olla grande con su agua que trae de la olla de presión. Se calienta en la nueva olla hasta que hierva. El sofrito de los vegetales, se licua con dos tazas de agua provenientes de la olla de las caraotas. Una vez licuado se junta con las caraotas blandas con su agua junto con los trozos de chuleta y chorizo y se pone a hervir durante 5 minutos. Se le agrega cilantro picado y sal al gusto. Sírvase en una sopera. Alcanza para 6 a ocho personas. Se aconseja la compañía de un honesto pan campesino. La nota al pie de página para la preparación ha sido una recomendación de alguien que prefiere el anonimato. Y las caraotas blancas en Venezuela son las judías blancas.

unas alubias a las que llaman fabes y las maridan con el tocino, la morcilla y el chorizo. En cuanto al cassoulet es una especialidad del Languedoc en la que los granos o alubias blancas equilibran una armonía junto a los trozos de cerdo, carnes y salchichas dependiendo de la receta. Algunos llevan pato y morcillas. He tenido dos de los momentos más gratos con estos monumentos de la más noble comida campesina, uno en Santander cuando fui a pasar unas navidades en la casa de la familia Moscardó y me recibieron con una humeante fabada a punto de gloria para el mediodía. El otro fue en París de Francia. Tenía yo antojo de cassoulet y de la Brasserie Lipp pero algunas personas me habían disuadido del establecimiento porque supuestamente había devenido en un «tourist trap». Solicité un taxi y le pedí a su conductor que me trasladara a Le Bistrot de Paris. Llegamos y estaba cerrado. Entre dudas le dije que me alcanzara entonces hasta Le Procope y entrando en el Boulevard Saint Germain, el taxista ha debido leerme la incertidumbre gastronómica en el rostro porque me sentenció con lo siguiente: «Si usted quiere comer bien de veras, olvídese de Le Procope. Este es mi restaurant favorito de la ciudad» y señaló a la Brasserie Lipp. Era jueves por la noche, entré al local y el plato del día era cassoulet. Como los destinos de la tragedia griega, también hay providencias gastronómicas ineludibles. Ha sido el mejor cassoulet de mi vida hasta hoy.

Cuando invito a mi casa, me gusta que sea a almorzar. Esa era de paso nuestra costumbre caraqueña de toda la vida a la que la prisa, la pérdida de los rasgos culturales de la ciudad, los horarios americanizados, el tráfico y el caos terminaron por sepultar. Desaparecieron las invitaciones de almuerzos y surgieron las «cenas», que sustituyeron a nuestras «comidas» nocturnas. De modo que para que el almuerzo sea como Dios manda, lo realizo los viernes y urjo a mis comensales que aplacen el cobro de una herencia o cualquier diligencia para esa tarde. Un día se me ocurrió que podíamos preparar unas caraotas blancas que no fuesen como nuestra sopa de caraotas blancas, perfectamente definida y adjetivada su preparación por Armando Scannone. Porque nuestra sopa de caraotas contiene papas y costillitas o paticas de cochino. Yo quería otra cosa, un potaje, algo parecido a la fabada o el cassoulet pero con rasgos propios, con ingredientes a la mano y estirpe venezolana. Lo veía como plato único del almuerzo. Quería el sabor de estos platos invocados pero con productos y alguna sazón nuestra. Congregar el apetitosísimo sabor de estos preparados en un plato evolucionado de los anteriores. Por lo demás buscaba que quien lo comiera se sintiera tentado a repetir. Oscar Wilde escribió en *Vera o los nihilistas*: «El futuro de la cultura está en la cocina. La única inmortalidad a la que aspiro es inventar una nueva salsa». Yo no he inventado nada sino que he urdido un parentesco con el recuerdo de unos sabores y le he fijado el viernes como un privado día de acción de gracias a esta unión de granos blancos y carnes ahumadas.

XIII.
FINALE. ALLEGRO SOSTENUTO

Un nuevo sobre rodó bajo la puerta. Allí permaneció durante las horas que Esteban desapareció de su casa y que encontró al abrir la entrada de su domicilio con el ruido imparable de las Pinkerton despidiéndose de él. Parecía traer algo. Era un CD. Lo puso sobre su escritorio y vio su nombre y sus dos apellidos estampados en una categórica tinta azul marina. Habían sido escritos con una pluma fuente, muy probablemente una Meisterstück 149. El trazo era grueso e inolvidable. Los fanáticos de las estilográficas reconocen inevitablemente las huellas que dejan y esta se reconocía por su tono apincelado. En azul se notaba más. En la red hay muchos videos de fanáticos hablando sobre sus plumas fuentes. Hay tutoriales de cómo llenarlas, tratar sus émbolos, limpiarlas y cuidarlas. La feligresía es amplia y se hace sentir. No se crea con apuro que Instagram logrará derrotar la escritura con plumas. A pesar de que los cajeros de banco confunden la señal de la pluma fuente con un esperpento al que llaman marcador, uno de los pilares del mundo continúa siendo la de los defensores de plumillas y tinta. El primer CD decía: *Lebhaft*, el estado actual de mi alma (Recuerdos del cuestionario Proust). El segundo disco se llamaba: Para ser escuchado sin falta la mañana del sábado 23 de septiembre a las 11:30 am. Eran las 10:15 de la noche del jueves y a pesar de los varios whiskys que traía entre pecho y espalda, Esteban acudió a la nevera y se sintió con derecho a descorchar una botella de vino espumoso del país. Recordó que ahora algunos vinos venían sin corcho. Le repugnó la idea: soy de la legión de los alcornoques y pensó en una escena imposible, que descapsular una botella de champaña dándole la vueltita a la rosca equivalía a un beso de boba. Algo inaceptable. Una auténtica mariconada seguramente inventada por un pérfido gerente de mercadeo, bajo el enfermizo engaño de la protección ambiental. De modo que cuando el corcho salió aventado lo acompañaba una fuerza inusitada, el impacto de un cohete a propulsión y un algo de tradición mantenida se hizo presente. Esteban examinó el primer disco y lo reprodujo. Era la sinfonía Renana de Robert Schumann interpretada por Carlo María Giulini y la Philharmonia de Londres. El disco llevaba una nota interna impresa: «Es la más emocionante versión que conozco. A Giulini lo invito Walter Legge a dirigir esta sinfonía en 1958 con la Philharmonia Orchestra y dicen que el italiano desmistificó el famoso arreglo de Mahler. Mi ánimo está como el primer movimiento, *Lebhaft*. No quiero que cambie nunca de cómo hoy lo tengo. Giulini es un director que me encanta y por cierto nunca quiso inscribirse en el Partido Fascista. Se unió a los partisanos y vivió en la clandestinidad». Esteban escuchó dos veces la versión y en medio de las escuchas sonó una campanada gozosa que anunciaba un texto de WhatsApp. Anunciaba que el remitente no figuraba en su lista de contactos y que podía bien bloquearlo o agregarlo. Incluyó el número y lo guardó bajo el nombre de Gatúbela. Siendo que nadie lo saludaba previamente, se acomodó a la idea de que este mensaje sólo podía venir de ella. Y era así.

Hola Esteban,

Habrás recibido el sobre con los discos compactos. Están numerados: el segundo es para que lo escuches este sábado 23 de septiembre. Considero que es tiempo de que nos conozcamos. En caso de que quieras. Las partidas pueden abandonarse en cualquier momento de la competencia, y para mí, sigue abierta. Estamos ya por completarla para volver a empezar, mil veces seguidas. El único premio ha sido jugarla y quién sabe qué será lo que llegue. Para eso deberás emprender un viaje. No te preocupes, que no te voy a mandar a Madagascar o a Timor Oriental. Apenas te tocará ascender una cuesta de nuestra cordillera de la Costa y tampoco a pie. Tu destino es la Colonia Tovar. Allí tengo una casa pasando el pueblo. Te diriges al hotel Bergland, lo dejas atrás y a la séptima entrada a la derecha verás un cartel que dice Villa Berghof: cosas de mi padre, un tirolés italiano, de Bolzano para ser precisa. La casa tiene dos entradas o tres con la puerta principal. Para sortear la primera marcarás los siguientes números: 242842 seguido de asterisco, que representa mi nombre y en la segunda pulsarás mi nombre seguido de numeral. Supongo que podrás llevar algo para anotar y cuando me saludes lo harás propiamente sabiendo cómo me llamo. No olvides ese detalle Esteban. Sería imperdonable un olvido. La tercera puerta estará abierta y a lo mejor hasta juguemos a las escondidas. ¿Qué te parece Esteban? ¿Has jugado últimamente a las escondidas? Sé que detestas, porque como estarás al tanto, manejo con acierto los detalles alrededor de tu vida, no conocer el apellido de la gente que tratas. Antes de que llegues a la tercera puerta, distinguirás una cruz tirolesa bastante grande. Allí estará mi apellido. No te lo voy a adelantar desde ahora. Si te lo facilito desde ya, te perderás parte del juego, mi querido Caledonia y Garcés. Ese día llevaré puesto el perfume de la carta. En el vestíbulo de la casa habrá una bandeja con varios perfumes. Tomarás el que corresponde a la carta y se lo entregarás a la señora que está a cargo de la casa. Ella sabe cuál es el que deberá recibir. Sólo de ser correcta la escogencia, ella te abrirá la puerta que divide el vestíbulo del resto de la casa. A partir de ese momento, quizás esté yo oculta. Eso te tocará averiguarlo. Mi empleada se llama Helga, es de la zona y es sordomuda gracias al endogenismo de más de siglo y medio. No creo que requieras mayores explicaciones sobre el particular. A menos que seas diestro en esas señas, no te servirá de mucho preguntarle nada. Puedes intentarlo, como tú quieras. El segundo disco tiene adjuntada la lista de las canciones que he escogido para tu viaje. Te espero con aturdimiento. Lo digo con sinceridad. No me llames ni me escribas, será contraproducente. Nuestra comunicación se interrumpe a partir de este instante hasta el sábado. Tienes algunas horas o menos para que te confirmes a ti mismo que vendrás. Empieza a contar que ya me oculto. Un, dos, tres, cuatro, cinco, seis, siete, ocho, nueve, diez, once…No se vale librar por todos. Muac, muac.

Gatúbela

242842. 2 es igual a ABC. 4 a GHI. 2 = ABC. 8 equivale a TUV. 4 a GHI y 2 = ABC. Investiguemos la denominación de origen de la juguetona: BIATIA no, AICUIA, menos ni BIBUIA, CIBUIA, CIBTIA, AGAUIA. AGATHA. Claro, es Agatha. Además coincide con lo de las variedades microcristalinas. La piedra de Agatha es una base mineral pero con variedades microcristalinas. Ya tienes nombre Gatúbela: te llamas Agatha. Agatha asterisco primero, Agatha numeral después. El segundo disco incluía la hoja con las canciones: 1. *Thanks for the Memory*, Los Platters. 2. *Je ne regrette rien*, Edith Piaf. 3. *My way*, Frank Sinatra. 4. *Champagne*, Pepino di Capri. 5. *What a wonderful world*, Louis Armstrong. 6. *Manhã de Carnaval*, Antonio Carlos Jobim. 7. *Strangers in the Night*, Frank Sinatra. 8. *I´m getting sentimental over you*, Tommy Dorsey. 9. *Ne me quite pas*, Jacques Brel. 10. *I'll never fall in love again*, Dionne Warwick. 11. *Ce bonheur là*, Georgette Lemaire. 12. *Um Dia de Domingo*, Tim Maia y Gal Costa. 13. *Smoke gets in your eyes*, Eartha Kitt.

Dos puertas, una tercera, una empleada sordomuda. La escena del crimen dispuesta con menú fijo. Agatha oculta detrás de un portón con el piolet para el asesinato neorrealista en un Berghof desfasado a la medida de una mente retorcida en la montaña de un país tropical. Y todo con motivos muy alpinos. De un tirolismo contagiante. Falta que asista en pantalones de cuero, sombreros con los motivos de ciervo y la jarra de cerveza en la mano. El Oktoberfest con unas gotitas de sangre. Supongo que estarán Heidi y el abuelo en el establo ordeñando a la alegre vaquita campanera. ¿Por qué di una charla sobre el Berghof de Castorp y ahora me toca enfrentarme a madame Chauchat, escondida tras un armario quien sabe si con una descomunal bombona de oxígeno dispuesta a quebrármela en la cabeza con la complicidad de un galeno con la bata salpicada de antisépticos? En la saga del padre Brown, uno de los criminales afirma que planeaba un crimen navideño, muy festivo, con el espíritu de Dickens presente. Este podría ser un ajusticiamiento alpino, con aroma de bosque, salchicha, sauerkraut, rodilla de cochino y pastores alemanes todos llamados Blondie y a punto de saltar sobre ti y dominarte. Además, no habrá quien se entere de que me he esfumado de este planeta, de este país, porque no les he contado a las personas que trato de estos trabajos caprichosos encargados por Helena de Troya. Desconocerán sobre mi desaparición. No pienso desvanecerme. El automóvil lo deslizarán en algún precipicio ignominioso de esos que se utilizan para botar basura a pesar del cartel «Prohibido botar basura» y a mí me enterrarán en el propio jardín de Villa Berghof como en cualquier final de una novela centroeuropea barata de posguerra. Sin consideración ni forma alguna. Un final muy poco digno del Bildungsroman, escasamente formativo, más bien destructivo. Nadie puede esperar formación alguna de las novelas, es de imbéciles pensar que la literatura es edificante, será vivificante, pero que tenga utilidad como un anticoagulante o el ácido acetilsalicílico, es propio de bien intencionados, monjitas, numerarios del Opus Dei, legionarios de Cristo o profetas del bienestar. Por eso es que para despacharse a Mann hay que pensárselo con entusiasmo. A mi amiga Manuela Zárate le dio un día por organizar unas lecturas de La montaña mágica y le puso, el reto de la montaña. Y las que lo cumplieron, porque parecen ser mujeres las que asumen estas competencias, lo hicieron con un tiempo superior al de escaladores y triatlonistas. Y menciono lo de la formación por esto de encontrarme atrapado en el Berghof sin siquiera haber llegado.

Por momentos se sintió enajenado. Esteban parecía no controlar sus pensamientos, tenía el pálpito de que era el instrumento de una manipulación, pensó que alguien pensaba por él, que era prisionero de una apetencia irracional hasta que finalmente se dijo a sí mismo que no importaría lo que encontrara, que iría a toda costa. «Tú lo que quieres es que me coma el tigre, que me coma el tigre, que me coma el tigre». Ni a mí ni a Agatha nos puede pasar por la cabeza que las cosas terminen de esta manera. Digo yo. Y digo yo presumiendo que también lo diga ella. Era cerca de la medianoche del jueves y Esteban se fue a dormir acompañado de sus cuatro whiskies, sus dos copas de espumoso y su sábado inminente destrancándole el destino.

Falta preguntarnos cuánta fatalidad nos rodea y qué tanto existe de libre albedrío aun en estos tiempos en que pronto nos rodearán los androides y hasta sus ovejas eléctricas. En el episodio que vivimos, toca abundar sobre cuán libre somos no sólo para afirmar lo que nos proponemos sino para calibrar su significado y nuestra relación con la decisión. Decidir es escoger: escoger representa una vía, el inicio de un viaje. En un primer momento, pensé en irme pero esto no pasó de un lanzamiento de los dados con un par de imposturas. María Silvia fue más osada y se atrevió a considerar su destino radicalmente diferente a lo que la habituaba. Pensar que estamos ligados a un país es una moraleja pasada de moda, una impostura sobreviviente, una forma de dominación nacionalista, un discurso vomitivamente patriotero. Un argumento patentado por los matones del Estado. Los únicos países son los que crecen dentro de nosotros y se llegan a convertir en una idea malgastada y costosa. No soy un valiente para querer dejar todo atrás, además de que es inconcebible. A veces hasta viajar se hace difícil y complicado. Este es un pasatiempo de los países ricos, oneroso para países como el mío (¿Qué otra inexactitud es esa de lo «mío»?) en los que un billete de monopolio tiene más respaldo que esos retablos dinerarios con lechosas, aborígenes y próceres republicanos. Muy pronto los billetes se imprimirán con la sonrisa de hampones y narcotraficantes, putas y recogelatas. Los nacionales se equivocan con sus países muy a menudo y les cuesta una, dos y hasta tres generaciones tiradas por el ducto de la basura con dirección a un relleno sanitario. Familias enteras con un apellido y un nombre bien ganado se esfuman para siempre frente a un anencefálico que lleva el despacho de Economía. Reputaciones encumbradas se convierten en abono orgánico de un momento a otro gracias a las estadísticas de la ignorancia populista. ¿Para qué preocuparse tanto por ese lagrimeo de los símbolos patrios si tu país cada vez imita más a las letrinas y los prostíbulos? Hace poco leí que los monumentos eran un recurso del presente para modificar el pasado. Para confirmar, moderar e imponer la idea de un pasado cómodo para el presente. Por ello es que los monumentos se erigen sobre los monumentos y los taladros trituran para volver a edificar. Hace mucho dejé de creer en el país que me circunda: tiene el aspecto de una poceta tapada. Y no hay desinfectante ni destapador que corrija la suciedad del apellido inmundo de la República. Que vivan las instituciones genéricas y tapa amarilla. Y si permanezco aquí es porque me sostiene el recuerdo de lo que fue, del que me hice, del que me diseñé. Soy un reaccionario viviendo del pasado: respiro un oxígeno guardado en álbumes de fotografías y revistas en blanco y negro. El presente de mi país es un accidente desafortunado muy distinto al presente de la humanidad que es estelar aunque digan lo que digan. El presente de mi país ha sido alcanzado traicionando su futuro, volviéndolo añicos, despedazando cada una de sus partes. El único porvenir al que le tengo estima es al del sábado, quizá lo digo por su peculiar adrenalina intransferible. Aún así he decidido permanecer en esta comarca disuelta ya para siempre: este será tal vez el único acto lúcido que llegue a cometer. Aún así permaneceré porque pertenezco a esto.

El sábado 23 de septiembre hubo rumores de que el tirano había huido. Esteban Caledonia Garcés desestimó todo lo que hubiese podido murmurarse y se dedicó a escuchar el disco mientras conducía hacia Villa Berghof y se prometió no dejarse engañar por ningún tuit urgente y de última hora. Como corresponde, escuchó de nuevo el CD. Tenía la aspiración de que encontraría un tiempo diferente arriba, como incumbe con toda cita. Parece haberse dado esa posibilidad porque se estuvo una semana en la montaña aprovechando un asueto universitario que se había inventado. A veces se daba esas licencias más allá de las burócratas del Departamento de Literatura que hacían vida entre tablas Excel y estadísticas de rendimiento estudiantil. Hay que aclarar que nunca hubo dos puertas sino una con el código 242842. De allí había que subir una cuesta asfaltada de 300 metros con pinos a los lados. La perfecta vía alemana, huelga decir. Sólo faltaba el Mercedes descapotable. Antes de la última puerta, o la primera según se calcule la entrada o la salida a la casa, había una cruz tirolesa de un metro cincuenta de altura y la inscripción «Santa Croce» en ella. Más allá de lo obvio, ese tendría que ser el apellido de Agatha según su indicación. La puerta de la casa estaba abierta y la Helga sordomuda milagrosamente se habría curado en las últimas cuarenta y ocho horas porque lo sorprendió una Helga parlanchina y obsequiosa. «Pase por aquí, pase por allá». Tampoco le exigieron escoger frasco alguno de perfume ni pronunciar Chanel Chance para producir un audio con facultades eco reconocibles. Eso sí, el perfume se advertía desde el vestíbulo al igual que el estudio Op. 25 número 1 de Fréderic Chopin en la versión de Arthur Rubinstein. De ello me enteraría luego. Quien no crea en las versiones, vive una vida estandarizada. Por ello cada particularidad importa. Por eso es que somos distintísimos todos y nunca seremos iguales. Lo primero que le dije a Agatha fue Chanel Chance, Agatha Santa Croce. Ella sonrío y me dijo: la cena de Menelao ha sido cambiada para el almuerzo de Menelao. Era una mujer alta, sorprendentemente bella, con unos ojos grandes encendidos y una personalidad sanguínea, entre los treinta y cuarenta, en medio de esas edades indeterminadas donde sacar cuentas da igual. Almorzaremos más tarde. ¿Te quedarás para la cena, te lo preguntaré más tarde, o no te lo preguntaré? Tomaremos una vichichoisse y pollo a la Kiev con ensalada de rúgula y feta, para recordar a nuestros amigos de la guerra de Troya. Por último, tendremos un soufflé de chocolate, algo que ni Homero ni Píndaro imaginaron nunca. ¿Te imaginas a Sócrates conociendo el chocolate? Habría escogido el exilio antes que la cicuta. Si el chocolate se hubiese descubierto antes[7], todo habría sido mejor. Pero no estaríamos tú y yo aquí de frente. Lo importante es que estamos viéndonos. No es fácil terminar finalmente viéndose. Hay mucho pasado que estorbó. Hasta ella estorbaba pero fíjate que desapareció. ¿Te diste cuenta? Así que nos queda celebrar el momento preciso del chocolate en este mundo, en esta hora sin molestias ni estorbos.

La semana que pasé en Villa Berghof no sé ni siquiera cómo describirla. A veces me pasa que al idioma castellano podrían faltarle voces para ampliarse. Tengo unas diferencias que crecen día a día con mi idioma. Es una conjetura personalísima, en todo caso. No me hagan caso. Me atropella la necesidad de contar esa semana lo más adecuadamente posible. Me escasean las palabras. Más que entender esa semana, la recuerdo. Nunca hablamos de lo evidente, no mencionamos lo que aparecía en los titulares de los periódicos, no quisimos atender el teléfono, ni curiosear lo que apuraban las noticias. Dejé que mi teléfono inteligente tomara vacaciones porque a las tres horas de haber arribado comenzó a pedir energía y vi como se iba hundiendo en su batería agónica. A Agatha nunca la escuché mencionando la palabra celular o móvil. Fue un encierro, un paréntesis entre todo de cuanto había hecho en mi vida. Vine sin información precisa, y me reinicié, así como se hace con los aparatos que requieren una reconfiguración, se borra la información innecesaria, se limpian los virus, se ajustan las piezas. Escuchamos tantas veces su disco y lo comentamos, canción a canción, desde Brel a Pe-

[7] A una aristócrata francesa que le dieron por primera vez a probar una taza de chocolate dijo: «Para que esto sea perfecto, sólo le hace falta que lo prohíba la iglesia católica.

pino di Capri. No hubo ningún momento ni disonante ni aburrido. El aburrimiento es un tema muy preocupante para la humanidad. Para mí podría serlo. Parecía que nos vinimos a sanar arriba para reconciliarnos con los de abajo. En ningún momento se mencionó la palabra futuro. Ya estábamos en él. En alguno de esos días fui hasta la biblioteca de la casa y hallé *La montaña mágica*. Le leí una de mis frases favoritas a Agatha, dicha por el conferenciante del Berghof (el verdadero), Krokovski: «El síntoma de la enfermedad era el reflejo de una actividad amorosa reprimida, toda enfermedad es una metamorfosis del amor». Lo traje a propósito de nuestra sanidad. —Como ves, estamos sanos o lo parecemos. Contrariamente a lo que vemos a diario, dijo Agatha sin pestañear. De Agatha Santa Croce diré que se me alojó inmediatamente, quiso que se hospedara en mí más allá de las pruebas. Le pregunté por los escollos y las misiones que me había impuesto.

—Es como los viajes: los haces, los disfrutas para descubrir lo que siempre tuviste dentro. Salir a buscarlos te llevó a ti. Una cita a ciegas es que no te descubran, es abrir los ojos ya sin el antifaz y no haberlo hecho por ti mismo. Además, me provocó y me sigue provocando. De pronto me escondo, como te lo anuncié, y te tocará encontrarme de nuevo. Eso sí, te aseguro que no huiré, ¿o sí? Me gusta jugar para disfrutar de la contienda. Ahora mismo estás en medio de un viaje. ¿Tienes idea del nombre del puerto en el que atracaremos? Me fascinan todos los nombres con puerto por delante. Puerto Cruz, Puerto Escondido, Puerto Viejo, Puerto Solitario, Puerto Libertad, Puerto Seguro, Puerto Stanley, Puerto Alegría. Este último me convence. También amo los cabos: Cabo Codera, Cabo Negro, Cabo Cañaveral. A pesar de que estemos en la montaña me gusta buscar la orientación y el rumbo de la costa—.

Agatha abrió una caja en la que escondía un solitario Marlboro rojo. Parecía haber sido guardado para una ocasión no común. Lo tomó con alguna solemnidad y lo encendió con un encendedor de plata sin quitarme la vista de encima. De Agatha hay que concluir que fue mucho más de lo que imaginé. Con esto evitaré detalles innecesarios y alguna aspiración de desenlace.

ÍNDICE

Printed in Poland
by Amazon Fulfillment
Poland Sp. z o.o., Wrocław